QUAND DIEU PARLE AUX HOMMES
LE LANGAGE DE L'AMOUR

*

ÉTUDES
SUR
LE CANTIQUE DES CANTIQUES

NIHIL OBSTAT
Jérusalem, 22 mars 1982
B. COUROYER, O.P.
P. BENOIT, O.P.

IMPRIMI POTEST
Rome, 22 mars 1982
V. de COUESNONGLE, O.P.

IMPRIMATUR
Paris, 15 avril 1982
P. FAYNEL
v. é.

ISBN 2-85021-009-9

CAHIERS DE LA REVUE BIBLIQUE

21

QUAND DIEU PARLE AUX HOMMES LE LANGAGE DE L'AMOUR

*

ÉTUDES SUR LE CANTIQUE DES CANTIQUES

par

Raymond Jacques TOURNAY, O.P.

PARIS

J. GABALDA et Cie, Éditeurs

RUE BONAPARTE, 90

1982

PRÉFACE

En 1967 paraissait un petit livre, *Le Cantique des Cantiques. Édition abrégée* (Éditions du Cerf, Paris), où j'avais résumé avec l'aide de Mlle Miriam Nicolaÿ le grand commentaire d'André Robert, œuvre posthume publiée par mes soins en 1963 (Éditions Gabalda, Paris). J'avais alors adopté l'interprétation générale développée dans ce dernier ouvrage. Mais ce n'était là à mes yeux qu'une étape sur la longue route vers une meilleure compréhension du Cantique des Cantiques.

Après des années de réflexion et d'enseignement, et stimulé par de récents travaux comme l'imposant commentaire de Marvin H. Pope dans la collection *The Anchor Bible* (1977), j'ai décidé de reprendre toute l'exégèse du Cantique. Déjà quelques articles m'ont permis de proposer un certain nombre de nouvelles interprétations. Il ne s'agit pas là, à vrai dire, de rétractations comme d'autres commentateurs ont jugé bon de le faire, mais d'un effort plus rigoureux et plus cohérent vers une ligne générale d'interprétation capable de situer organiquement les deux grandes tendances actuelles de l'exégèse moderne du Cantique, attirée soit vers l'érotisme, soit vers l'allégorie. Il m'a semblé possible d'établir scientifiquement, texte en mains, un équilibre supérieur à la lumière de l'histoire du peuple d'Israël et en particulier de l'évolution de sa foi dans le messianisme.

Le principe d'herméneutique le plus fécond me paraît être ici celui de la double entente (l'anglais lui-même dit « double entendre »), déjà appliqué, je le crois, par le responsable inspiré de l'édition définitive du Cantiques des Cantiques. Ce livret hautement poétique résiste à toute tentative d'atomisation ; dans son état actuel, canonique, biblique, il se présente comme une partie intégrante de l'Ancien Testament. La lecture que j'en propose cherche à intégrer deux registres qu'il serait vain et inutile, selon moi, de réduire à une simple opposition alors qu'ils me paraissent corrélatifs.

Le mystère de l'amour humain est inséparable de celui de l'Amour divin dont il constitue le signe et le symbole. Le poème du Cantique des Cantiques en est le vivant témoignage, toujours valable et plus que jamais indispensable aux hommes de notre temps.

Jérusalem, Noël 1981.   R.J. TOURNAY, O.P.
École Biblique et Archéologique Française.

ABRÉVIATIONS

Les abréviations courantes sont celles de la *Revue Biblique*. On y ajoute :

ANET	J.B. PRITCHARD, *Ancient Near Eastern Texts Relating to the Old Testament*, 3e éd., Princeton, 1969.
AOAT	*Alter Orient und Altes Testament*, Neukirchener Verlag.
BBB	*Bonner Biblische Beiträge*, Bonn.
BdJ	*Bible de Jérusalem*, 2e éd., Le Cerf, Paris, 1973.
BKAT	*Biblischer Kommentar. Altes Testament*, Neukirchener Verlag.
BWA(N)T	*Beiträge zur Wissenschaft vom Alten (und Neuen) Testament*, (Leipzig), Stuttgart.
BZAW	*Beihefte zur ZAW* (Giessen), Berlin.
DBS	*Supplément au Dictionnaire de la Bible*, Letouzey, Paris.
FRLANT	*Forschungen zur Religion und Literatur des Alten und Neuen Testaments*, Göttingen.
JSOT	*Journal for the Study of the Old Testament*, Sheffield.
HAL	*Hebräischen und aramäisches Lexicon zum Alten Testament*, 3e éd. (W. BAUMGARTNER, etc.), Brill, Leiden.
HAT	*Handbuch zum Alten Testament*, Tübingen.
JOÜON	P. JOÜON, *Grammaire de l'hébreu biblique*, 2e éd., Rome, 1947.
LAPO	*Littératures anciennes du Proche-Orient*, Le Cerf, Paris.
LYS	D. LYS, *Le plus beau chant de la création* (Lectio Divina 51), Le Cerf, Paris, 1968.
POPE	Marvin H. POPE, *Song of Songs* (The Anchor Bible 7C), New York, 1977.
ROBERT-TOURNAY	A. ROBERT et R. TOURNAY, *Le Cantique des Cantiques, Traduction et Commentaire* (Études Bibliques), Gabalda, Paris, 1963.
SupplVT	*Supplements to Vetus Testamentum*, Brill, Leiden.
ThWAT	*Theologisches Wörterbuch zum Alten Testament*, Kohlhammer.
TOB	*Traduction œcuménique de la Bible, Ancien Testament*, Paris, 1974.
UF	*Ugarit-Forschungen*, Neukirchener Verlag.

LE CANTIQUE DES CANTIQUES

I, 1   Le Cantique des Cantiques, de Salomon.

Prologue

ELLE   2 Qu'il me baise des baisers de sa bouche,
            car plus exquises que le vin sont tes caresses,
       3 à l'odeur, tes parfums sont exquis,
            c'est un parfum raffiné que ton Nom,
            aussi les jeunes filles t'aiment.

       4 Entraîne-moi après toi, courons :
            le Roi m'introduit dans sa chambre.
            Exultons, réjouissons-nous à cause de toi,
            célébrons tes caresses plus que le vin :
            c'est à bon droit que l'on t'aime.

Premier poème

ELLE   5 Je suis noiraude et pourtant jolie,
            filles de Jérusalem,
            comme les tentes de Qédar,
            comme les pavillons de 'Salma'[1].

       6 Ne prenez pas garde à mon teint noirci :
            c'est le soleil qui m'a brûlée.
            Les fils de ma mère ont exhalé leur rage contre moi,
            ils m'ont mis à garder les vignes ;
            ma vigne à moi, je ne l'ai pas gardée.

---

1. *Salma*, correction ; *Salomon*, texte reçu.

       7   Dis-moi donc, ô toi que mon cœur aime :
Où mèneras-tu paître le troupeau,
où le mettras-tu au repos à l'heure de midi ?
Que je n'erre plus en vagabonde[2]
près des troupeaux de tes compagnons !

CHOEUR   8   Si tu l'ignores, ô la plus belle des femmes,
va-t'en sur les traces du troupeau
et mène paître tes chevreaux
près des demeures des pasteurs.

LUI   9   A ma cavale, des attelages de Pharaon,
je te compare, mon amie.
    10   Tes joues sont jolies entre les pendeloques
et ton cou dans les guirlandes.
    11   Nous te ferons des pendants d'or
et des globules d'argent.

ELLE   12   Tandis que le Roi est en son enclos,
mon nard donne son parfum.
    13   Mon chéri, pour moi, est un sachet de myrrhe,
il passe la nuit entre mes seins.
    14   Mon chéri, pour moi, est une grappe de henné
dans les vignes d'En-Gadi.

LUI   15   Que tu es belle, mon amie,
que tu es belle !
Tes yeux sont des colombes.

ELLE   16   Que tu es beau, mon chéri,
combien gracieux,
Notre lit n'est que verdure.
    17   Les chevrons de notre maison sont de cèdre,
nos lambris de genévrier.

ELLE   II, 1   Je suis le narcisse de Saron,
le lis des vallées.

LUI   2   Comme le lis entre les chardons,
telle mon amie entre les jeunes femmes.

ELLE   3   Comme le pommier parmi les arbres de la forêt,
ainsi mon chéri parmi les jeunes hommes.
A son ombre que je convoitais je me suis assise
et son fruit est doux à mon palais.

---

2. « Vagabonde », *keṭo'iyyah*, correction ; « voilée », texte reçu. Voir p. 91, n. 23.

4 Il me fait entrer au cellier
et son enseigne pour moi, c'est Amour.

5 Soutenez-moi avec des gâteaux de raisin,
ranimez-moi avec des pommes,
car j'ai le mal d'amour.

6 Son bras gauche est sous ma tête
et sa droite m'étreint.

7 Je vous en conjure, filles de Jérusalem,
par les gazelles, par les biches des champs :
n'éveillez pas, ne réveillez pas l'Amour
avant son bon vouloir.

Deuxième poème

ELLE

8 J'entends mon chéri :
le voici, il est venu,
sautant sur les montagnes,
bondissant sur les collines.

9 Mon chéri est comparable à la gazelle,
au jeune faon.
Le voici, il se dresse
derrière notre mur ;
il guette par la fenêtre,
il épie par le treillis.

10 Mon chéri m'interpelle
et il me dit :
« Lève-toi, mon amie,
ma belle, viens-t'en !

11 Car voilà l'hiver passé,
la pluie a cessé, s'en est aliée.

12 Sur la terre les fleurs se montrent,
la saison de la taille est arrivée,
et la voix de la tourterelle
se fait entendre sur notre terre.

13 Le figuier mûrit ses premiers fruits
et les ceps en bouton exhalent du parfum.
Lève-toi, mon amie,
ma belle, viens-t'en !

14 Ma colombe, au creux du rocher,
en des retraites escarpées,
montre-moi ton visage,
fais-moi entendre ta voix,
car ta voix est douce
et joli ton visage ».

15   Prenez-nous les renards,
les petits renards,
ravageurs de vignes,
et notre vigne est en bouton.

16   Mon chéri est à moi, et moi à lui,
il est berger parmi les lis :
17   « Avant que le jour ne souffle
et que les ombres ne fuient,
retourne, sois comparable,
mon chéri, à la gazelle
ou au jeune faon
sur les montagnes de partage ».

Troisième poème

ELLE   III, 1   Sur ma couche, la nuit, j'ai cherché
celui que mon cœur aime.
Je l'ai cherché, mais ne l'ai pas trouvé.
2   Je me lèverai donc et parcourrai la ville ;
dans les rues et sur les places,
je chercherai celui que mon cœur aime.
Je l'ai cherché, mais ne l'ai pas trouvé.

3   Les gardes m'ont rencontrée,
ceux qui font la ronde dans la ville :
• « Avez-vous vu celui que mon cœur aime ? »
4   A peine les avais-je dépassés,
j'ai trouvé celui que mon cœur aime.
Je l'ai saisi et ne le lâcherai pas
que je ne l'aie introduit
dans la maison de ma mère,
dans la chambre de celle qui m'a conçue.

5   Je vous en conjure, filles de Jérusalem,
par les gazelles, par les biches des champs :
n'éveillez, ne réveillez pas l'Amour
avant son bon vouloir.

Quatrième poème

CHOEUR   6   Qu'est-ce là qui monte du désert
comme une colonne de fumée,
vapeur de myrrhe et d'encens,
de toutes poudres exotiques ?

7 Voici la litière de Salomon :
soixante preux l'entourent,
élite des preux d'Israël,

8 tous maniant l'épée,
vétérans des combats ;
chacun a l'épée au côté
en vue des alarmes nocturnes.

9 Le roi Salomon s'est fait
un palanquin en bois du Liban.

10 Il en a fait les colonnes d'argent,
le baldaquin d'or,
le siège de pourpre ;
l'intérieur est ouvragé avec amour
par les filles de Jérusalem.

11 Sortez, contemplez, filles de Sion,
le roi Salomon avec le diadème
dont sa mère l'a couronné,
au jour de ses épousailles,
au jour de la joie en son cœur.

Cinquième poème

LUI   IV, 1 Que tu es belle, mon amie,
que tu es belle !
Tes yeux sont des colombes
derrière ton voile.
Tes cheveux, comme un troupeau de chèvres
qui dévalent du mont Galaad.

2 Tes dents, un troupeau de brebis à tondre
qui remontent du bain ;
chacune a sa jumelle
et nulle n'en est privée.

3 Tes lèvres, un fil d'écarlate,
et ta bouche, jolie.
Tes joues, des tranches de grenade
derrière ton voile.

4 Ton cou est comme la tour de David,
bâtie par assises ;
mille rondaches y sont suspendues,
tous les boucliers des preux.

5 Tes deux seins, deux faons,
jumeaux d'une gazelle, paissant parmi les lis.

6 Avant que le jour ne souffle
   et que les ombres ne fuient,
   je m'en irai à la montagne de la myrrhe,
   à la colline de l'encens.

7 Tu es belle, mon amie,
   et sans tache aucune.

8 'Viens'[3] du Liban, ma fiancée,
   'viens'[3] du Liban, fais ton entrée,
   dévale des cimes de l'Amana,
   des cimes du Senir et de l'Hermon,
   tanière des lions,
   montagne des léopards.

9 Tu me fais perdre le sens, ma sœur fiancée,
   tu me fais perdre le sens par un seul de tes regards,
   par une seule pièce de ton collier.
10 Que tes caresses ont de charmes,
   ma sœur fiancée,
   que tes caresses sont exquises, plus que le vin,
   et l'odeur de tes parfums,
   plus que tous les arômes !
11 Tes lèvres, fiancée,
   distillent le nectar ;
   le miel et le lait
   sont sous ta langue,
   et l'odeur de tes vêtements
   est comme l'odeur du Liban.

12 Elle est un jardin clos,
   ma sœur fiancée,
   un 'jardin'[4] clos,
   une fontaine scellée.
13 Tes surgeons sont un verger de grenadiers
   avec les fruits les meilleurs, henné avec nard,
14 le nard et le safran,
   l'acore et le cinnamome
   avec tous les arbres à encens,
   la myrrhe et l'aloès
   avec les plus fins aromates.

ELLE   15 Je suis une fontaine des jardins,
   un puits d'eaux vives
   ruisselant du Liban.

---

3. « Viens », *'eti*, versions ; « avec moi », hébreu.
4. « Jardin », *gan*, mss hébreux et versions ; *gal*, « flot, vague », texte reçu.

16 Éveille-toi, aquilon,
accours, autan !
Faites respirer mon jardin
et que se répandent ses arômes !
Que mon chéri entre dans son jardin
et qu'il en goûte les fruits les meilleurs !

LUI   V, 1 J'entre dans mon jardin,
ma sœur fiancée,
je récolte ma myrrhe et mon baume,
je mange mon rayon avec mon miel,
je bois mon vin avec mon lait.

Mangez, amis,
buvez, enivrez-vous, chéris.

Sixième poème

ELLE   2 Je sommeille, mais mon cœur veille ;
j'entends mon chéri qui frappe :
« Ouvre-moi, ma sœur, mon amie,
ma colombe, ma parfaite,
car ma tête est couverte de rosée,
mes boucles, des gouttes de la nuit ».

3 J'ai ôté ma tunique,
comment la remettrais-je ?
J'ai lavé mes pieds,
comment les salirais-je ?

4 Mon chéri a passé la main par la fente,
et pour lui, mes entrailles ont frémi.
5 Moi, je me suis levée pour ouvrir à mon chéri,
et mes mains ont distillé la myrrhe,
mes doigts, la myrrhe fluide
sur la poignée du verrou.

6 Moi, j'ai ouvert à mon chéri,
mais mon chéri, tournant le dos, avait disparu.
Hors de moi, je sors à sa suite,
je le cherche, mais ne le trouve pas,
je l'appelle, mais il ne me répond pas.

7 Les gardes m'ont rencontrée,
ceux qui font la ronde dans la ville.
Ils m'ont frappée, ils m'ont blessée,

ils m'ont enlevé mon manteau,
ceux qui gardent les remparts.

8 Je vous en conjure, filles de Jérusalem,
si vous trouvez mon chéri,
que lui annoncerez-vous ?
Que j'ai le mal d'amour.

Septième poème

CHOEUR   9 Qu'a donc ton chéri de plus que les autres[5],
ô la plus belle des femmes ?
Qu'a donc ton chéri de plus que les autres[5],
pour que tu nous conjures ainsi ?

ELLE   10 Mon chéri est ocre clair,
il se reconnaît entre dix mille.
11 Sa tête est de l'or, de l'or fin,
ses boucles sont des palmes,
noires comme le corbeau.
12 Ses yeux sont des colombes
au bord des cours d'eau,
se baignant dans le lait,
posées sur des vasques.
13 Ses joues, des parterres d'aromates,
des massifs embaumés.
Ses lèvres, des lis,
elles distillent la myrrhe fluide.
14 Ses mains, des pivots d'or
garnis de pierres de Tarsis.
Son ventre, une plaque d'ivoire
couverte de lapis lazuli.
15 Ses jambes, des colonnes d'albâtre
fondées sur des socles d'or fin.
Son aspect est celui du Liban,
objet de choix comme les cèdres.
16 Son palais est la suavité même
et tout son être n'est que charme.
Tel est mon chéri, tel est mon ami,
filles de Jérusalem.

CHOEUR VI, 1 Où donc est parti ton chéri,
ô la plus belle des femmes ?

---

5. Littéralement : de plus qu'un chéri.

Où donc est retourné ton chéri,
que nous le cherchions avec toi ?

ELLE   2   Mon chéri est descendu à son jardin,
aux parterres d'aromates,
pour être berger dans les jardins
et pour cueillir des lis.

3   Je suis à mon chéri, et mon chéri est à moi,
il est berger parmi les lis.

Huitième poème

LUI   4   Tu es belle, mon amie, comme Tirça (Plaisance),
jolie comme Jérusalem,
redoutable comme des bataillons.

5   Détourne de moi tes regards,
car ils me fascinent.
Ta chevelure est un troupeau de chèvres
qui dévalent de Galaad.

6   Tes dents, un troupeau de brebis
qui remontent du bain ;
chacune à sa jumelle
et nulle n'en est privée.

7   Tes joues, des tranches de grenade
derrière ton voile.

8   Soixante sont reines,
et quatre-vingt, concubines,
et des adolescentes sans nombre.

9   Unique est ma colombe, ma parfaite,
elle est l'unique de sa mère,
la préférée de celle qui l'enfanta.
Les jeunes filles l'ont vue et complimentée,
reines et concubines l'ont célébrée :

10   « Qui est celle-ci qui surgit comme l'aurore,
belle comme la lune,
resplendissante comme le soleil,
redoutable comme des bataillons ? »

Neuvième poème

ELLE   11   Au jardin des noyers j'étais descendue
pour voir les jeunes pousses du wadi,
pour voir si le cep bourgeonne,
si les grenadiers sont en fleurs.

12 Je ne connaissais pas mon cœur,
il a fait de moi les chariots d'Ammi-nadib.

CHOEUR VII, 1 Reviens, reviens, Shulamite,
reviens, reviens, que nous te regardions !

LUI   Que regardez-vous dans la Shulamite
comme une danse des deux camps ?

2 Que tes pieds sont beaux dans les sandales,
fille de prince !
Les contours de tes cuisses sont comme des colliers,
œuvre d'une main d'artiste.

3 Ton nombril, une coupe arrondie,
que le vin mêlé n'y manque pas !
Ton ventre, un monceau de froment
bordé de lis.

4 Tes deux seins sont comme deux faons,
jumeaux d'une gazelle.

5 Ton cou est comme une tour d'ivoire.
Tes yeux sont comme les piscines de Heshbôn,
près de la porte de Bath-Rabbîm.
Ton nez est comme la tour du Liban,
sentinelle face à Damas.

6 Sur toi, ta tête est comme le Carmel,
et les mèches de ta tête sont comme la pourpre :
un roi est lié dans ces ruissellements.

7 Que tu es belle, que tu es charmante,
amour, 'fille de'[6] délices !

8 Ta stature que voici est comparable au palmier,
tes seins en sont les grappes.

9 J'ai dit : « Je monterai au palmier,
j'en saisirai les régimes.
Que tes seins soient comme des grappes de raisin,
le parfum de ton souffle, comme celui des pommes,

10 ton palais, comme un vin exquis ! »

ELLE   Il va droit à mon chéri,
il coule sur les lèvres des dormeurs.

11 Je suis à mon chéri
et vers moi est son désir.

---

6. *Bat ta῾ânûgîm*, versions ; « dans les délices », hébreu. Voir p. 54, n. 3.

Dixième poème

12 Viens, mon chéri,
   sortons à la campagne.
   Nous passerons la nuit dans les villages,
13 Le matin nous irons dans les vignes,
   nous verrons si le cep bourgeonne,
   si le bouton s'ouvre,
   si les grenadiers sont en fleurs.
   Là, je te donnerai mes caresses.
14 Les mandragores exhalent leur parfum ;
   à nos portes sont les meilleurs fruits ;
   les nouveaux comme les anciens,
   je les ai réservés pour toi, mon chéri.

VIII, 1 Ah ! que ne m'es-tu un frère,
   allaité au sein de ma mère !
   Te rencontrant dehors, je pourrais t'embrasser
   sans que les gens me méprisent.
2 Je te conduirais, je t'introduirais dans la maison de ma mère :
   tu m'instruirais, je te ferais boire
   du vin aromatisé,
   ma liqueur de grenade.

3 Son bras gauche est sous ma tête
   et sa droite m'étreint.
4 Je vous en conjure, filles de Jérusalem,
   n'éveillez pas, ne réveillez pas l'Amour
   avant son bon vouloir.

Épilogue

CHOEUR 5 Qui est celle-ci qui monte du désert,
   appuyée sur son chéri ?

ELLE   Sous le pommier je te réveille,
   là où ta mère te conçut,
   là où conçut celle qui t'a enfanté.
6 Pose-moi comme un sceau sur ton cœur,
   comme un sceau sur ton bras.

   Car l'Amour est fort comme la Mort,
   la jalousie inflexible comme le Shéol ;
   ses traits sont comme des traits de feu
   une flamme de YHWH.

7   Les grandes eaux ne pourront pas
éteindre l'Amour.
Les fleuves ne le submergeront pas.
Si quelqu'un donnait pour l'Amour
tout l'avoir de sa maison,
à coup sûr on le mépriserait.

Additions

(FRÈRES)   8   Notre sœur est petite
et elle n'a pas de seins.
Que ferons-nous à notre sœur
au jour où l'on parlera d'elle ?
9   Si elle est un rempart,
nous bâtirons sur elle
des créneaux d'argent ;
si elle est une porte,
nous fixerons sur elle
des ais de cèdre.

ELLE   10   Je suis un rempart
et mes seins en sont les tours ;
aussi suis-je à ses yeux
comme celle qui a trouvé la paix.

*

11   Salomon avait une vigne à Baal-Hamôn.
Il la confia aux gardiens ;
chacun fera rentrer pour son fruit
mille pièces d'argent.
ELLE   12   Ma vigne à moi est devant moi ;
les mille sont à toi, Salomon,
et deux cents aux gardiens de son fruit.

*

LUI   13   Toi qui habites les jardins,
des compagnons prêtent l'oreille à ta voix ;
fais-moi entendre :
ELLE   Fuis, mon chéri,
et sois comparable à la gazelle
ou au jeune faon
sur les montagnes des aromates.

*
*   *

CHAPITRE I

STRUCTURE ET DIVISIONS

La division traditionnelle du Cantique des Cantiques en huit chapitres de longueur inégale semble avoir eu surtout un but utilitaire. Deux manuscrits grecs de la Septante, l'Alexandrinus et le Sinaïticus, avaient suggéré quelques changements d'interlocuteurs; ces indications sont plus développées dans le codex Sinaïticus[1]. Au XIIe siècle, l'Abbé Rupert distinguait quatre parties d'après le refrain du réveil : «Je vous en conjure, filles de Jérusalem, par les gazelles, par les biches des champs, n'éveillez pas, ne réveillez pas l'Amour avant son bon vouloir» (2 : 7; 3 : 5; 8 : 4)[2]. La critique moderne considère généralement le Cantique des Cantiques comme une anthologie de poèmes plus ou moins étendus, unifiés par un ou plusieurs rédacteurs. Pour distinguer ces poèmes, on tient compte, non seulement des refrains proprement dits, mais aussi des nombreuses répétitions et des mots-crochets. Mais on est loin de s'entendre sur le nombre de ces poèmes. Qu'on en juge !

A. Robert (1963) distingue cinq poèmes; J.C. Exum (1973), six; D. Buzy (1940) et D. Lys (1968), sept; J. Angénieux (1965), huit; I. Bettan (1950), dix-huit; N. Schmidt (1911), dix-neuf; K. Budde (1898), vingt-trois; O. Eissfeldt (1965), vingt-cinq; M. Haller (1940), vingt-six; R. Gordis (1954), vingt-huit; E. Würhtwein (1967), O. Loretz (1966) et J.B. White (1978), trente; J. Segert (1956) et J. Gerleman (1965), trente-deux; L. Krinetzki (1964), cinquante-deux[3]. M. Pope mentionne une paraphrase germanique du Cantique qui, au XVe siècle, divisait le livre en quarante-quatre parties[4]. Il cite aussi une étude de R. Kessler (1957) qui divisait le livre en quatre parties de longueur à peu près égale : 1 : 2 à 2 : 17 (trente-trois versets); 3 : 1 à 5 : 1 (vingt-huit versets); 5 : 2 à 7 : 1 (vingt-huit versets) ; 7 : 2 à 8 : 14 (vingt-sept versets)[5]. Finalement, M. Pope renonce à proposer une division logique.

Cependant, la présence de très nombreuses répétitions à travers tout le livret serait plutôt l'indice d'une certaine unité littéraire[6]. Ainsi, l'héroïne du Cantique apostrophe souvent les « filles de Jérusalem ». Elle commence à le faire après les deux strophes initiales (1 : 5) et continue dans les trois refrains du « réveil » (2 : 7 ; 3 : 5 ; 8 : 4) et ailleurs : 3 : 11 (filles de Sion) ; 5 : 8-9 et 16 (suivi de la réplique des filles dans 6 : 1). Ce sont encore elles qui prennent sans doute la parole dans 6 : 10 et 7 : 1 comme le ferait un chœur. De même le compliment « ô la plus belle des femmes » (1 : 8) est repris par les mêmes filles dans 5 : 9 et 6 : 1. On peut discuter sur le rôle de ces interventions, souvent attribuées à un chœur ; quoi qu'il en soit, celles-ci marquent chaque fois une pause dans le déroulement du Cantique.

On admet que 2 : 6-7 sert de conclusion au premier grand poème : « Son bras gauche est sous ma tête et sa droite m'étreint. Je vous en conjure, filles de Jérusalem, etc. ». Il doit en être de même dans 8 : 3-4 : « Son bras gauche est sous ma tête et sa droite m'étreint. Je vous en conjure, filles de Jérusalem, n'éveillez pas, ne réveillez pas l'Amour selon son bon plaisir ». Il manque seulement ici le stique « par les gazelles, par les biches des champs ».

Le refrain d'appartenance mutuelle : « Mon chéri est à moi, et moi à lui ; il est berger parmi les lis » (2 : 16) se trouve d'abord à la fin d'un poème qui se termine au v. 17, avant le récit de la première « recherche » (3 : 1-5) : « Retourne, sois comparable, mon chéri, à la gazelle ou au jeune faon sur les montagnes de partage ». Le dernier verset du Cantique (8 : 14) reprend en partie cette phrase : « Fuis, mon chéri, et sois comparable à la gazelle ou au jeune faon sur les montagnes des aromates ». Dans 6 : 3, le refrain d'appartenance mutuelle peut conclure aussi un poème. Il se trouve repris en partie dans 7 : 11 sous une forme inversée : « Je suis à mon chéri et vers moi est son désir ». Là encore, on peut distinguer la fin d'un poème avant l'apostrophe qui suit : « Viens, mon chéri » (7 : 12).

Dans 3 : 6, l'interrogation : « Qu'est-ce là qui monte du désert comme une colonne de fumée : » introduit la description du cortège nuptial de Salomon. Dans 8 : 5, l'interrogation semblable : « Qui est celle-ci qui monte du désert, appuyée sur son chéri ? » introduit l'annonce de la consommation définitive de l'amour, de l'union scellée à jamais. Ces deux questions marquent chacune le début d'un poème.

A partir de ces considérations littéraires, il est possible de délimiter un certain nombre de poèmes en évitant de les pulvériser arbitrairement, compte tenu de toutes ces reprises ou redites, si caractéristiques du Cantique des Cantiques. La critique moderne a pris plaisir à remanier le texte reçu pour le rendre plus conforme à notre logique occidentale. Mais la préhistoire du Cantique nous échappera toujours. Omissions et transpositions de versets demeureront des hypothèses fragiles et incontrôlables. Aussi chercherons-nous ici à mieux comprendre le texte reçu traditionnel, avec ses compléments éventuels, autrement dit dans son intégrité.

*

*   *

Le titre du Cantique des Cantiques (1, 1), où Salomon est mentionné, est suivi d'un prélude constitué par deux strophes symétriques, de cinq stiques chacune (2-3 ; 4), et terminées l'une et l'autre par le même verbe « ils t'aiment ». Ensuite débute le premier poème (1 : 5 - 2 : 7) qui contient le seul vrai dialogue entre les deux jeunes gens. C'est la jeune fille qui commence et achève le discours. Ses premières paroles (1 : 5-7) sont interrompues par le chœur des jeunes filles de Jérusalem, interpellées dès le v. 5. Aussitôt après, le jeune homme fait l'éloge de son « amie » ; celle-ci lui donne la réplique en l'appelant quatre fois son « chéri » ; elle le qualifie aussi de « roi », comme elle l'avait déjà fait dans le prélude au v. 4. L'expression « les vignes d'En-Gadi », c'est-à-dire « l'œil du chevreau », au v. 14, relie entre eux les versets 6 (les vignes), 8 (les chevreaux) et 15 (les yeux).

Dans le deuxième poème (2 : 8-17), c'est la jeune fille qui parle ; elle cite un discours de son chéri aux versets 10 à 15. L'expression « mon chéri » revient au début (8, 9, 10) et à la fin (16, 17) du poème. De même les mots « gazelle » et « jeune faon » (littéralement : faon de biches) qui se trouvaient dans le refrain de 2 : 7 reviennent à la fin du poème dans 2 : 17.

Le troisième poème (3 : 1-5) décrit la première recherche nocturne, par la jeune fille, de « celui que son cœur aime ». Cette dernière expression est répétée par elle quatre fois ; il en est de même pour le verbe « chercher ». La rencontre a bien lieu ; mais ce n'est pas encore le moment de « réveiller l'Amour ». A. Robert pensait qu'il s'agissait là d'une évocation poétique des rapports entre YHWH et son épouse, Israël[7]. Comme la suite le montrera, je l'espère, il s'agit plutôt des rapports entre le Salomon messianique et la Fille de Sion. S'il en est ainsi, le poème suivant (3 : 6-11) se trouve bien en place, car il décrit le cortège nuptial du Roi Salomon. Celui-ci est nommé trois fois dans ce quatrième poème dont il est le personnage central, idéalisé comme dans le livre des Chroniques (1 Chron. 28 et 29 ; 2 Chron. 9). Nous y reviendrons.

Ce quatrième poème se relie par une série de mots-crochets au poème précédent : ma mère / sa mère (3 : 4 et 11) ; les nuits (3 : 1 et 8) ; la présence des gardes qui font la ronde et entourent la litière (hébreu *sbyb, sbbym* ; 3 : 3 et 7). Les filles de Jérusalem sont de nouveau mentionnées et apostrophées sous le nom (hapax dans le Cantique) de « filles de Sion ».

Dans le cinquième poème (4 : 1 à 5 : 1), l'expression « ma sœur fiancée » (4 : 9, 10, 12 ; 5 : 1) ou simplement « fiancée » (4 : 11) assure l'unité de l'ensemble et se comprend parfaitement après l'évocation, dans le poème précédent, du cortège nuptial et des épousailles de Salomon. Celui-ci fait pour la première fois l'éloge de sa bien-aimée, genre littéraire apparenté au *waṣf* des poèmes d'amour arabes. Ce cinquième poème peut facilement être subdivisé grâce aux inclusions ménagées par le poète : « tu es belle, mon amie » (4 : 1 et 7), le Liban (4 : 8 et 11), le jardin (4 : 12, 15 et 5 : 1). La jeune fille n'intervient qu'à la fin (4 : 15-16) pour inviter son chéri à entrer dans son jardin, ce qu'il fait aussitôt. L'apostrophe finale « mangez, amis, buvez, enivrez-vous, chéris » (5 : 1) peut s'adresser aux deux amants et marquer une grande pause dans le livret ; nous voici en effet au milieu du Cantique des Cantiques[8].

Le sixième poème (5 : 2-8) reprend de façon plus dramatique le thème de la recherche nocturne, déjà développé dans le troisième poème. Cette fois, la recherche demeure vaine ; c'est un rendez-vous manqué. Frappée, blessée, dépouillée de son manteau par les gardes, la jeune fille adjure les filles de Jérusalem d'intervenir auprès de son chéri ; en son absence, elle a le « mal d'amour »[9]. Le poème se termine ainsi comme le premier poème (2 : 5) où la jeune fille avouait déjà cette maladie d'amour. L'expression « ma sœur, mon amie » (5 : 2) relie ce poème au précédent. Le mot-crochet « mon chéri » est repris six fois dans ce sixième poème et fait une inclusion au début (5 : 2) et à la fin (5 : 8).

Ce même mot-crochet « mon chéri » revient plusieurs fois au début (5 : 9-10) et à la fin (5 : 16 et 6 : 1-3) du septième poème. Ce poème (5 : 9 à 6 : 3) suppose que la recherche du chéri continue. En son absence, la jeune fille en fait un éloge, curieux et insolite (5 : 10-16), lequel suscite à la fin une question des filles de Jérusalem : elles s'offrent à aider la jeune fille qui affirme une fois de plus son appartenance à celui qu'elle aime (6 : 3 reprend le refrain de 2 : 16). Le septième poème s'achève ainsi comme le deuxième poème.

Le huitième poème débute comme le cinquième poème : « Tu es belle » (6 : 4), « Que tu es belle ! » (4 : 1). Ce deuxième éloge — ou *waṣf* — de la jeune fille par son chéri commence donc brusquement. Là encore, la présence du jeune homme n'est pas indiquée avant les paroles qu'il adresse à sa bien-aimée. Il est seulement présenté comme « un berger » à la fin du poème précédent, alors que 3 : 11 (fin du quatrième poème) le présentait comme le roi Salomon. Ce huitième poème est bien délimité par l'inclusion : « belle comme..., redoutable comme des bataillons » (6 : 4 et 10).

Le neuvième poème (6 : 11 à 7 : 11) est plus complexe. Le troisième éloge — ou *waṣf* — de la jeune fille, prononcé par le jeune homme (7 : 2 ss), débute par les pieds de la danseuse, comme il se doit après la fin du v. 1 qui parle de cette danse. Le regard se porte de bas en haut, à l'inverse du premier *waṣf* (4 : 1 ss). C'est le mot *nadib* « prince » qui fait le lien entre 6 : 12 (les chariots d'Amminadib) et 7 : 2 « fille de prince ». Le poème débute par les paroles de la jeune fille dans 6 : 11-12 avant l'intervention du chœur qui l'apostrophe en l'appelant la Shulamite. Ce nom caractéristique, dérivé de *šalom*, évoque aussitôt celui de Salomon. On verra l'importance de ce passage pour l'interprétation correcte du Cantique des Cantiques. A la fin du neuvième poème, la jeune fille interrompt son chéri pour compléter sa phrase : « Ton palais, comme un vin exquis ! », en ajoutant : « Il va droit à mon chéri, il coule sur les lèvres des dormeurs ». Elle achève en répétant une fois de plus le refrain de l'appartenance mutuelle par lequel se terminaient les deuxième et septième poèmes, mais en le modifiant : « Je suis à mon chéri et vers moi est son désir ».

Le dixième poème (7 : 12 à 8 : 4) débute d'une façon qui ressemble au début du poème précédent. La phrase « Allons voir si le cep bourgeonne, si les grenadiers sont en fleurs » (6 : 11) est reprise dans 7 : 13. L'invitation « Viens » (7 : 12) indique qu'on approche de la fin du poème. Les deux jeunes gens iront ensemble dans les jardins, dès le matin. Pour l'instant, c'est donc encore le temps de la nuit comme dans le troisième et le sixième poèmes, ceux de la « recherche nocturne ». Il faut aussi noter les verbes à la première personne du pluriel aux versets 12 et 14 comme dans le premier poème (1 : 16-17). Le dixième poème s'achève précisément par un refrain (8 : 3-4) qui reprend celui de la fin du premier poème (2 : 6-7). Encore une fois, la jeune fille rappelle aux filles de Jérusalem qu'elles ne doivent pas réveiller l'Amour avant son bon vouloir. Le premier poème avait déjà parlé dans 1 : 13 du sommeil du jeune homme : «Il passe la nuit entre mes seins». On verra plus loin l'importance qu'il faut accorder à ce «sommeil».

L'épilogue du Cantique (8 : 5-7) débute par une question posée par le chœur des jeunes filles : «Qui est celle-ci qui monte du désert, appuyée sur son chéri ?». Cette question rappelle celle qui introduisait le quatrième poème (3 : 6) : «Qu'est-ce là qui monte du désert... ?». La réponse est donnée par la jeune fille qui s'adresse à son chéri : «Sous le pommier je te réveille...». La mension du pommier rappelle celle des pommes dans 2 : 3. Surtout, la jeune fille annonce que le moment du *réveil* est enfin arrivé pour celui qu'elle aime. Mais celui-ci doit sceller définitivement leur *amour*. Ce mot essentiel se trouve repris trois fois dans 8 : 6-7, exactement comme à la fin du premier poème (2 : 4, 5 et 7). Cette symétrie est remarquable et constitue une inclusion bien calculée. D'autre part, les reprises qu'on vient de signaler concourent à assurer au Cantique une certaine unité littéraire du début jusqu'à la fin, avant même toute discussion sur son interprétation. Il est vrai que les versets qui terminent l'épilogue (8 : 6-7) sont rédigés dans un style didactique et sentencieux, fort différent du style lyrique qui les précède. Mais le poète ne veut-il pas tirer ici la leçon des dix poèmes ? Il faudra chercher à bien comprendre cette conclusion et à préciser de quel Amour il s'agit ici. Mais on aurait tort de négliger les affinités littéraires entre 8 : 1-4 et 8 : 5-7 : même pronom interrogatif dans 8 : 1 et 5 (*mî* «qui ?»), même verbe «donner» dans 8 : 1 (littéralement : Qui te donnera à moi comme frère) et 7, même verbe «mépriser» dans 8 : 1 et 7 ; même mention de la «mère» dans 8 : 1-2 et 5, de la «maison» dans 8 : 2 et 7, de la préposition «sous» dans 8 : 3 et 5. On devine ici la main d'un même auteur en dépit de la différence du style.

Il n'en est pas de même pour la fin du chapitre 8. La plupart des critiques considèrent les versets 8 à 14 comme un ou plusieurs appendices ajoutés après coup au livret initial. On doit alors se demander pour quelles raisons ils ont été ainsi ajoutés et rechercher s'ils ne présentent pas, eux aussi, un certaine unité. Sans vouloir élucider tous les problèmes posés par ces derniers versets, il y a lieu de faire ici quelques remarques. On ne peut faire abstraction de ces versets dans une interprétation générale du Cantique, car ils représentent déjà une certaine « lecture », sinon une « relecture », de l'ensemble au niveau le plus ancien de l'exégèse juive. Aux propos de ses « frères », la jeune fille réplique au v. 10 en poursuivant la même métaphore de la ville fortifiée, avec rempart, créneaux, porte et ... tours[10]. On pense aussitôt à *Yerušalem*, ici identifiée à la Shulamite : « Je suis à *ses* yeux (ceux de « Salomon » son chéri) comme celle qui a trouvé la paix, le *šalom* ». Cette Jérusalem ne peut être que la ville sainte restaurée par Néhémie ; celui-ci reconstruisit ses remparts et fixa les battants de porte (Néh. 6 : 1 ; cf. Ez. 38 : 11). Le cantique de Tobie (13 : 12) parle à propos de Jérusalem de murs, de tours, de maison, avec le verbe « bâtir » comme dans Cant. 8 : 9. Dans Is. 60 : 18, on parle encore des remparts et des portes de Sion ; de même Is. 54 : 12, etc. Notons aussi que le seul autre emploi du verbe *dbr* « parler » au *pual* (passif) s'applique précisément à Jérusalem dans le Ps. 87 : 3 : « On dit de toi des choses glorieuses ». Ainsi Cant. 8 : 8-10 semble ici identifier symboliquement l'héroïne du Cantique à la Fille de Sion, Jérusalem.

Dans les versets 11-12, le nom de Salomon suit immédiatement le mot *šalom* « paix » par lequel finit le v. 10. Il s'agit bien du roi qui apporte la paix à Jérusalem, peut-être désignée ici sous le toponyme énigmatique de Baʿal Hamon, inconnu par ailleurs en Palestine comme en Transjordanie. Le mot *hamôn* signifie une foule bruyante et s'applique à Jérusalem dans plusieurs textes[11]. Les symboles de la « vigne » et du « jardin » reprennent les versets 1 : 6-8 du premier poème, avec le même verbe araméen *nṭr* « garder ». Il est tentant de rapprocher le chiffre de mille pièces d'argent (v. 11 ; cf. Gen. 20 : 16) des mille femmes — épouses (trois cents) et concubines (sept cents) — dont parle 1 Rois 11 : 3 à propos de Salomon. Il semble que ce soit la jeune fille qui, au v. 12, s'adresse à Salomon ; elle lui dit que sa vigne à elle, Fille de Sion, est « devant elle », c'est-à-dire à son entière disposition (cf. pour le sens 2 Chron. 14 : 6). Elle reprendrait alors ce qu'elle a déjà répondu à ses « frères » en leur disant qu'elle a trouvé la paix ; elle est désormais libre d'agir comme elle l'entend. Fini le temps où ses « frères » lui reprochaient de ne pas garder sa vigne (1 : 6).

Ce passage (voir p. 88) n'a pu encore être élucidé malgré de notables contributions et de savantes hypothèses[12]. Il est curieux de relever dans l'éloge poétique de Simon Maccabée (1 Mac. 14 ; 8-12) un certain nombre de contacts : on cultive la terre en paix et les arbres donnent leurs fruits ; les villes sont munies de fortifications (1 Mac. 13 : 33 mentionne les tours, les murs, les portes, les verrous) ; le pays est en paix et chacun s'assied sous sa vigne.

Les versets 13-14 rappellent les versets 2 : 8, 12, 14 et 17 du deuxième poème. Au v. 14, le dernier du Cantique des Cantiques, « mon chéri » est la 33e mention du *dod*, « le chéri », ce qui est peut-être intentionnel (voir p. 89). Le chéri prie sa bien-aimée de lui dire de fuir ; elle lui avait déjà dit de partir avec elle (7 : 12). Nous voici donc avec ce départ définitif à la fin du livret...

*
* *

NOTES

1. Cf. A RAHLFS, *Septuaginta*, II, 1935, pp. 270-271. A noter dans 1 : 7 *pros ton numphion christon*, rubrique qui suppose une interprétation messianique chrétienne.

2. MIGNE, *Patrologie latine*, tome 168, col. 839.

3. Voir la grande bibliographie publiée par M.H. POPE, *Song of Songs*, pp. 252-258, et les bibliographies qui accompagnent tous les commentaires du Cantique des Cantiques. G. KRINETZKI (*Hohelied*, Die Neue Echter Bibel, Würzburg, 1980) reprend la répartition en cinquante-deux poèmes qu'il avait déjà proposée dans son commentaire de 1964.

4. *Op. cit.*, p. 40. Voir la recension de POPE par R. TOURNAY, *RB* 86 (1979), pp. 137-140.

5. *Op. cit.*, p. 49.

6. Cf. E. MURPHY, *The Unity of the Song of Songs*, VT 29 (1979), p. 440. De même W.H. SHEA, *The Chiastic Structure of the Song of Songs*, ZAW 92 (1980), pp. 378-396 ; il distingue six sections : 1 : 2 − 2 : 2, et 8 : 6-14 ; 2 : 3-17, et 7 : 11 − 8 : 5 ; 3 : 1 − 4 : 16, et 5 : 1 − 7 : 10. On aurait une structure en chiasme : A : B : C :: C' : B' : A'.

7. A. ROBERT (*Le Cantique des Cantiques*, Études Bibliques, Paris, 1963) reliait 3 : 1-5 à 2 : 8-17, en un seul poème, le deuxième. Il reliait de même 4 : 1-5 à 3 : 6-11, en un seul poème, le troisième. Le quatrième poème allait, selon lui, de 5 : 2 à 6 : 3, et le cinquième, de 6 : 4 à 8 : 5a. J'avais suivi A. Robert dans *Le Cantique des Cantiques, Commentaire abrégé* (Lire la Bible 9, Le Cerf, Paris, 1967). Je propose ici une nouvelle répartition en *dix* poèmes. Je me sépare de A. Robert sur plusieurs points importants, en particulier sur la signification du « réveil » du jeune homme qui représente, selon moi, le Salomon de l'ère messianique.

8. La Petite Massore qui compte 117 versets dans le Cantique note que la moitié du livret se trouve dans 4 : 4 *nrd wkrkm*.

9. Cette traduction m'a été suggérée par Pierre Grelot.

10. Selon 2 Chron., 14 : 6, le roi Asa dit à Juda de restaurer les villes fortes en Juda avec mur, tours, portes et barres. Le thème de la femme-cité est attesté dans tout l'Ancien Orient (voir ci-après p. 35).

11. Is. 32 : 14 ; Ps. 42 : 5 ; Joël 4 : 14 ; cf. Lam. 1 : 1. Voir G. GERLEMAN, *Die lärmende Menge*, dans *Wort und Geschichte — Festschrift K. Elliger* (*AOAT* 18), 1973, pp. 71-75.

12. En particulier celles de A. ROBERT, *op. cit.*, pp. 314-326, et déjà *RB* 55 (1948), pp. 161-183. Il identifiait la vigne à toute la Palestine. Sur les vignes de David et de Salomon, cf. 1 Chron. 27 : 27 et Qoh. 2 : 4. Voir en dernier lieu F. LANDY, *Beauty and the Enigma : An Inquiry into Some Interrelated Episodes of the Song of Songs, JSOT* 17 (1980), pp. 71-85.

CHAPITRE II

LA CÉLÉBRATION
DES AMOURS DE SALOMON

C'est dès le début du Cantique des Cantiques qu'on s'attend à découvrir des indications sur la signification de ce poème d'amour. L'analyse approfondie des premiers versets s'impose donc avant toute autre recherche. Elle seule permettra de savoir quelle doit être l'interprétation la plus adéquate de ce livret. C'est dans le *prologue* que devrait résider la clé apte à nous introduire dans le sens authentique de toute cette œuvre poétique.

Voici la traduction du prologue (vv. 2-4) :

> 2 Qu'il me baise des baisers de sa bouche !
> Car plus exquises que le vin sont tes caresses ;
> 3 à l'odeur, tes parfums sont exquis,
> c'est un parfum raffiné que ton NOM,
> aussi les jeunes filles *t'aiment*.

> 4 Entraîne-moi après toi, courons :
> le Roi m'introduit dans sa chambre.
> Exultons, réjouissons-nous à cause de toi,
> célébrons tes caresses plus que le vin :
> c'est à bon droit que l'on *t'aime*.

Ces deux strophes symétriques (5 + 5 stiques) s'achèvent par le même verbe « aimer » à la même forme ; elles répètent la même expression « tes caresses plus que le vin ». C'est la jeune fille qui prend la parole dès le début et c'est elle qui parlera, du reste, le plus souvent dans la suite du Cantique ; il y a là déjà une grande différence avec les chants d'amour égyptiens, si proches par ailleurs du Cantique et où le garçon tient de longs discours[1].

Si la jeune fille souhaite être embrassée « à pleine bouche » (comme traduit D. Lys)[2], c'est qu'elle connaît déjà parfaitement celui qu'elle appelle « son chéri » et dont le NOM *(šem)* à lui seul lui dit tout. Elle le compare à un parfum raffiné[3]. Une série de paronomases, d'allitérations et d'assonances attirent l'attention sur le NOM de Salomon[4]. Si les deux premiers mots du v. 2, dérivés de la même racine *nšq* évoquent le bruit du baiser, l'accumulation des consonnes chuintantes *(šin)* et liquides *(lamed, mem, nun, reš)* évoquent *šelomo*, Salomon. Les mots *šem*, le nom, et *šemen*, l'huile ou le parfum (deux fois) font un jeu de mots expressif qui se retrouve dans Qohéleth 7 : 1. L'huile peut faire allusion à l'onction du roi messie, l'oint : ce fut le cas de Salomon (1 Rois 1 : 34-39). Dieu oint le messie d'une huile de joie (Ps. 45 : 8) ; ce verset de psaume débute par *'al-ken*, « c'est pourquoi, aussi », locution qui ne se trouve dans le Cantique qu'à la fin du verset 3 du prologue : « Aussi les jeunes filles t'aiment ». Notons que le Ps. 45 qui célèbre les noces du roi-messie et de son épouse offre beaucoup d'affinités avec le Cantique, si bien que ces deux textes devraient être interprétés de façon semblable[5].

C'est de *šalom* « la paix » que dérive le nom *šelomo* Salomon[6], comme aussi celui de son frère *Abšalom* Absalom. L'auteur de 1 Chron. 22 : 9 en est très conscient : « Voici — dit Dieu à David — il t'est né un fils qui sera, lui, un homme de repos et auquel je donnerai le repos vis-à-vis de tous ses ennemis d'alentour, car Salomon sera son nom *(šemo)*, et je donnerai paix *(šalom)* et tranquillité à Israël pendant ses jours ». On a déjà signalé le rapprochement, dans Cant. 8 : 10-11, de *šelomo* et de *šalom*. Citons dans le même sens le Ps. 72, attribué par le titre à Salomon ; ce psaume annonce l'avènement de la paix aux versets 3 et 7, et proclame au v. 17 que le NOM de ce « fils de roi » (allusion à Salomon, fils de David) sera béni à jamais. Isaïe (9 : 2-5) prédit l'avènement du Prince de la paix dans l'allégresse et la joie. Cet oracle trouve un écho dans Michée 5, où celui qui doit gouverner Israël sera LA PAIX (v. 4). Il en est de même dans Zacharie 9 : 9-10 : « Exulte *(gyly*, même verbe dans Cant. 1 : 4b) avec force, fille de Sion, réjouis-toi, fille de Jérusalem, voici que *ton roi* vient à toi... Il annonce *la paix* aux nations ». Enfin, Ben Sira 47 : 16 reprend au début du deuxième siècle avant J.C. l'équation *šelomo/šalom* : « Ton NOM a atteint jusqu'aux îles lointaines et tu fus aimé pour *ta paix* ».

D'autres paronomases[7] sont à signaler dans le prologue du Cantique, à côté de *šem, šelomo, šemen* : ainsi *moškeni* (verbe *mšk*)

« entraîne-moi », *melek* « le roi », *meyšarim* « à bon droit » (adverbe signifiant « justement, droitement »), *'alamot* « les jeunes filles ». Toutes ces consonnes chuintantes et liquides rappellent les sonorités du NOM *šelomo*.

Il est aussi possible que le mot *dodêka* « tes caresses » (deux fois) évoque le surnom de Salomon *yedidya* « chéri de YHWH » (2 Sam. 12 : 25). Mais le rapprochement doit être aussi fait avec le mot *dod* « chéri », si fréquent dans le Cantique et qui s'écrit comme le nom de David, père de Salomon. Une étude spéciale sera faite à ce sujet (pp. 84 ss).

Les verbes *gyl* et *śmḥ* « exulter, se réjouir », associés au v. 4, appartiennent au langage de l'Alliance, comme l'a bien noté D. Lys[8]. Ici, ils nous orientent, avec les paronomases déjà signalées, vers une perspective messianique où Salomon désigne le Messie à venir. La célébration des amours de Salomon, annoncée dans le prologue du Cantique, a donc pour objet l'amour indéfectible de la Fille de Sion pour le Salomon qu'elle attend et qui lui est déjà présent par son NOM, substitut de sa personne. Au lieu d'être interpolé dans le Cantique comme certains exégètes l'ont prétendu, le nom de Salomon est ici essentiel. A le supprimer, on ne comprendrait plus rien au Cantique en négligeant les indications que nous donne dès le début le poète par les jeux de sonorités et le choix des mots. Ce n'est pas le Roi YHWH, comme A. Robert et d'autres l'avaient pensé, qu'attend la Fille de Sion ; c'est le *nouveau Salomon*, roi auquel elle est fiancée en vertu des promesses de l'Alliance[9]. C'est pourquoi elle exulte et se réjouit avec les filles de Jérusalem au moment où elle va entrer dans la chambre du Roi. Citons ici le parallèle du Ps. 45, 16-17 : « La fille du roi est amenée au dedans vers le roi, des vierges à sa suite. On amène les compagnes qui lui sont destinées ; dans la joie et l'exultation, elles entrent au palais du roi ».

La place centrale ménagée à Salomon dans le Cantique ne doit pas nous surprendre. Elle correspond à celle qu'il occupe dans les livres des Chroniques. Le bâtisseur du Temple y joue avec David le rôle essentiel selon l'historien de la fin du IVe siècle, pour qui la liturgie et le culte constituent l'occupation principale du peuple de YHWH et de ses ministres. Le Chroniqueur élimine avec soin les ombres du règne de Salomon dont parlait le livre des Rois et idéalise le fils de David, prototype du Messie attendu par Israël.

*
* *

Aussitôt après le prologue, dès le début du premier poème (1, 5), la jeune fille s'adresse à ses compagnes, les filles de Jérusalem. Cette mention de la ville sainte, à cette place, revêt une grande importance d'autant qu'elle précède de quelques mots, dans le même verset, la mention des pavillons de Salomon, mis en parallèle avec les tentes de Qédar[10]. Les gens de Qédar (cf. Gen. 25 : 13 ; Ps. 120 : 5) habitaient l'Arabie méridionale et contrôlaient la route de l'encens à l'époque perse (Is. 60, 6-7). Sur l'inscription de l'autel à encens découvert dans les fouilles de Lakish, A. Lemaire a déchiffré le nom d'un roi de Qédar[11]. Aussi a-t-on proposé de corriger ici le texte hébreu reçu « Salomon » en « Salma », à savoir le pays des Saloméens ou Salmaïtes. Les Targums donnaient en effet ce nom aux anciens Quénites de la région de Pétra, contemporains des gens de Qédar[12]. La mention de Salomon dans 1 : 6 serait alors due à une retouche rédactionnelle ; deux autres mentions de Salomon se trouvent dans 8 : 11-12, versets qui ont pu être ajoutés par l'éditeur définitif du Cantique. Ce dernier aurait ainsi obtenu *sept* mentions de Salomon, comme il y a dans le Cantique sept mentions des filles de Jérusalem, sept mentions du Liban, etc.[13]. Il aurait ainsi voulu orienter le lecteur dès le début vers une interprétation messianique du Cantique, suggérée entre autre par la description dans 3 : 6-11 du cortège nuptial du roi Salomon[14].

Le roi de la paix doit régner sur la ville de la paix, Jérusalem. Bien des textes suggèrent l'étymologie traditionnelle du nom de *yerušalem*[15]. La fin du nom, *šalem*, désigne effectivement la ville sainte dans le Ps. 76 : 3, qui nomme Sion en parallèle. C'est aussi dans le même sens qu'on a interprété la mention de Melchisédech, roi de Salem (Gen. 14 : 18 ; Hébr. 7 : 2). Le Psaume 122 multiplie les jeux de mots sur Jérusalem, en particulier au v. 6 avec les verbes *ša'al* « demander » et *šalah* « être en repos » ; le mot *šalom* revient trois fois avec *šem* « le Nom (divin) » et *šam* « là » (deux fois). Selon le dernier verset du livre d'Ézéchiel (48 : 35), le nom de Jérusalem sera dans l'avenir *YHWH-šammah*, c'est-à-dire « YHWH est là »[16]. Le Ps. 76 déjà cité évoque au v. 4 Jérusalem par l'adverbe *šam* « là » ; plusieurs psaumes reprennent cette paronomase[17] que l'on est tenté de retrouver dans Cant. 8 : 5 : le poète, à propos du réveil définitif du jeune homme, répète deux fois cet adverbe *šammah* « là ». Par ailleurs, la paronomase entre *šem*, le Nom divin, et *šam* « là », se recontre dans Deut. 12 : 11 et 1 Rois 8 : 29.

On verra plus loin (p. 74) comment le nom donné à la jeune fille, *šulammit* (7 : 1) doit être interprété dans cette perspective. C'est elle qui finit par « trouver la paix », comme elle le déclare à la fin du livret (8 : 10). Elle est la véritable partenaire de Salomon, comme l'indique son nom[18]. Ne nous étonnons pas si on l'identifie dans 8 : 8-10 à la ville de Jérusalem. Le thème de la femme-cité est traditionnel dans tout l'ancien Orient. Il suffit de citer la grande lamentation sumérienne sur la chute de la ville d'Our, patrie d'Abraham (Gen. 11 : 31). Jérusalem sous les traits de la fille de Sion occupe la place principale dans la seconde partie du livre d'Isaïe (49 : 14; 54 : 5) et aussi dans les chapitres 60, 62 et 67, 7 ss[19]. On pourrait ici multiplier les citations en recourant aux textes qui exploitent l'allégorie nuptiale en parlant de la nation israélite. Le verbe *bana'* « bâtir » (Cant. 8 : 9; cf. 4 : 4) est employé en parlant d'une femme qui a des enfants : il en est ainsi de Sara (Gen. 16 : 2), Rachel (Gen. 30 : 3), Léa (Ruth 4 : 11; cf. Jér. 24 : 6; Deut. 25 : 9).

Si l'auteur du prologue du Cantique nous suggère déjà implicitement que le Roi Salomon dont il va célébrer les amours est un personnage idéal, symbole du Messie attendu par la Fille de Sion, il est naturel de penser que sous les traits de l'héroïne du Cantique se cache la Cité sainte, demeure du Très-Haut, ville de la paix, personnification de tout un peuple, la communauté des Juifs rapatriés à l'époque perse[20]. Toutefois, il ne faudrait pas oublier le point de départ historique du Cantique, à savoir les épousailles de Salomon avec la fille du Pharaon, une princesse égyptienne. C'est à partir de cet événement historique que le poète, bien des siècles après, évoque le Salomon de l'avenir.

Ajoutons que les nombreux noms géographiques contenus dans le Cantique, inattendus dans un simple chant d'amour, évoquent non seulement la Samarie (avec Tirça — 4 : 6 — dont le nom signifie Plaisance), mais aussi la Transjordanie du nord et du sud, ainsi que le sud de la Syrie (Damas) et du Liban, c'est-à-dire un territoire correspondant à celui de l'empire salomonien avant le schisme de Jéroboam I, avec peut-être même une allusion à l'alliance conclue entre Salomon et le roi Hiram de Tyr (voir p. 93 ss).

*

*   *

NOTES

1. Cf. J.B. WHITE, *A Study of the Language of Love in the Song of Songs and Ancient Egyptian Poetry* (SBL Dissertation, Series 38), Missoula, 1979, p. 174.

2. *Le plus beau chant de la création* (Lectio Divina 51), Paris, 1968, p. 62.

3. Lire *tamruq* (TM *turaq* intraduisible), cf. *Esther* 2 : 3 ; 9 : 12 ; *Prov.* 20 : 30 est obscur. POPE se contente de transcrire *turaq* (pp. 291, 300).

4. Cf. C. TRESMONTANT, dans *Esprit*, mars 1963, p. 61 ; R. TOURNAY, dans *RB* 72 (1965), p. 430.

5. Cf. R. TOURNAY, *Les affinités du Ps. XLV avec le Cantique des Cantiques et leur interprétation messianique, Supp. VT* 9 (1963), pp. 168-212. Mots et expressions communs : roi, compagnon, jeunes filles, vierges, beauté, myrrhe, aloès, ivoire, huile, or, joie et exultation, « derrière elle/toi », « faire entrer », « que je célèbre ton nom » (Ps. 45 : 18) et « célébrons » (Cant. 1 : 1). Sur *zkr*, cf. W. SCHOTTROFF, *«Gedenken» im Alten Orient und im Alten Testament*, Neukirchen-Vluyn, 1964 ; ce verbe ne peut être corrigé en *škr* « enivrer » (LYS, p. 69). A propos de *Elohim* dans Ps. 45 : 7, B. COUROYER émet l'hypothèse qu'il pourrait s'agir d'un Ptolémée (*Dieu ou roi ? Le vocatif dans le psaume XLV, 1-9, RB* 78 (1971), p. 241).

6. Littéralement « sa paix », « son intégrité » ; le suffixe masculin renverrait à David selon J.J. STAMM, *Der Name des Königs Salomo*, dans *Beiträge hebräischen und altorientalischen Namenkunde (OBO* 30), 1980, pp. 45-57. Cf. G. GERLEMAN, *Wurzel Salom*, dans *ZAW* 85 (1973), pp. 1-14 ; C. WESTERMANN, *Der Frieden (Shalom) im Alten Testament*, dans *Forschungen am A.T. Gesammelte Studien* 2, 1974, pp. 196-229 ; H. WILBERGER, *Jesaja (BKAT)*, 1978, p. 1273 (sur Is. 32 : 17-18) ; V. PETERCA, *L'immagine di Salomone nella Bibbia ebraica e greca. Contributo allo studio del «Midrach»* (Pont. Univ. Gregor.), Rome, 1981, pp. 42-25.

7. Cf. V. PETERCA, *op. cit.*, p. 85 ; L. KRINETZKI, *Das Hohe Lied*, 1969, pp. 86-87.

8. LYS, p. 68. Cf. Ps. 9 : 3.

9. A. Robert pensait au mariage symbolique de YHWH avec Israël dans la perspective de l'allégorie nuptiale développée par les prophètes à partir d'Osée (cf. S. BITTER, *Die Ehe des Propheten Hosea*, Göttingen, 1975). Mais il se corrige à la page 158 : « Ainsi est-il normal que la nation couronne, c'est-à-dire, fasse roi, le souverain messianique ». Dans le Nouveau Testament, c'est Jésus, le Messie d'Israël, qui apporte la paix aux hommes : « C'est lui qui est notre paix, lui qui des deux peuples n'en a fait qu'un » (*Ephésiens* 2 : 14).

10. Étrange parallèle. LYS cherche à tourner la difficulté en voyant ici une paraphrase pour évoquer des « rideaux somptueux » (pp. 70-72). Notons que le mot *yryʻwt* « pavillons » fait une allitération avec le verbe *trʻh* « tu mèneras paître » (v. 7), ainsi qu'avec *rʻy* et *rʻym* (v. 8) « troupeau », « pasteurs », et peut-être même avec *prʻh* Pharaon (v. 9).

11. Cf. *RB* 81 (1974), p. 63.

12. Cf. Gen. 15 : 19 ; Nomb. 24 : 21 ; 1 Sam. 15 : 16 ; Jug. 4 : 17. Voir I. BEN ZVI, dans *Muséon* 74 (1964), p. 154.

13. Autres septénaires dans le Cantique : le vin, la myrrhe, la gazelle. Jérusalem est nommé huit fois, de même le lys, le lotus, le parfum (*ryḥ*).

14. Ce passage est considéré comme une addition postérieure par M. Jastrow, J.T. Meek, O. Loretz, etc., car il ne peut être considéré comme un chant d'amour. Mais POPE (*op. cit.*, p. 433) juge cette élimination arbitraire, tout en cherchant une explication symbolique au nom de Salomon. LYS (*op. cit.*, pp. 154, 165) y voit un ancien poème composé pour le mariage de Salomon avec une princesse étrangère. Mais pourquoi serait-ce une pièce rapportée, antérieure au reste du livret ?

15. Is. 2 : 2-4 et Mic. 4 : 1-4; Is. 11 : 6-9; 26 : 1-3; 32 : 17-18; 33 : 6-7; 52 : 7; 54 : 10 ss; 65 : 25; Jér. 14 : 13, 15, 19; 23 : 16; 29 : 10-11; Ez. 13 : 16; 37 : 26; Ag. 2 : 9; Zach. 8 : 10, 12, 15-16, 19, 22; 9 : 9-10; Job. 13 : 14-17; Bar. 4 : 20; 5 : 4; Judith 4 : 4; Ps. 147 : 12-14, etc. Cf. Norman W. PORTEOUS, *Living the Mystery. Collected Essays*, Oxford, 1967, chap. 7, *Jerusalem-Zion. The Growth of a Symbol*, pp. 93-111; H.-J. KRAUS, *Theologie der Psalmen* (BKAT 15/3), 1979, pp. 100-101.

16. Dans Ez. 40 : 1, le prophète dit que Dieu l'emmène *là-bas,* sur une très haute montagne où sera édifiée la ville future de Jérusalem. On aurait ici une inclusion avec 48 : 35.

17. Dans Ps. 66 : 6-7, « là » désigne Jérusalem comme l'a bien vu F. CRÜSEMANN, *Studien zur Formgeschichte von Hymnus and Danklied in Israel*, 1969, p. 181. Il peut en être ainsi dans Ps. 14 : 5 (= 53 : 6); 36 : 13; 46 : 9; 48 : 7; 87 : 4, 6; 132 : 17; 137 : 3; Is. 33 : 21 et 24; 65 : 9 et 20; Jér. 7 : 12; 2 Sam. 6 : 2.

18. D'autres allusions possibles au nom de Salomon, dans le Cantique, seraient les deux noms de nombre : *ššym* « soixante » peu avant la mention de Salomon dans 3 : 7 et à propos du harem de Salomon dans 6 : 8, et *šmnym* « quatre-vingt » dans ce dernier verset. On rapproche aussi un oracle du roi assyrien Asarhaddon qui mentionne soixante grands dieux se tenant auprès de lui (*ANET*[3], p. 450).

19. Cf. Baruch 4 et 5; Tob. 13 : 9-17; Apoc. 21 : 1 ss.

20. Je rejoins ici l'interprétation de G. NOLLI, *Cantico dei Cantici* (La Sacra Bibbia), Torino, 1968, pp. 44-45. Il admet un double sens, l'un originel, et l'autre voulu par le rédacteur ou éditeur ultime. Mais il ne rend pas compte de la complémentarité de ces deux sens en fonction de la personnalité, à la fois historique et messianique, du roi Salomon, dans la mentalité juive à l'époque du second Temple. C. HAURET (*Note d'Exégèse. Cantique des Cantiques, 1, 3 : Introduxit me rex in cellaria sua*, dans *Rev. SR* 38 (1964), p. 70), à la fin de sa recension du livre de Robert-Tournay, concluait : « Le chant d'amour, mis sur les lèvres de Salomon, s'appliquait à la fois au fils de David et au Messie futur. A travers l'union de Salomon et son épouse, le scribe inspiré évoquait l'union du Messie et de son peuple. Cette double vue justifierait en particulier l'extraordinaire description de la fiancée. Il convient d'ajouter qu'à l'époque des scribes, Salomon tendit à devenir un type du Messie (cf. *Chron.* et, peut-être, *Ps.*, LXXII, 1). » C'est aussi notre pensée.

CHAPITRE III

LE ROI SALOMON
ET SON ÉPOUSE ÉGYPTIENNE

Après avoir considéré le point de départ *littéraire* du Cantique des Cantiques, il faut maintenant en venir à son point de départ *historique*. Celui-ci n'est autre que le mariage de Salomon avec la fille du Pharaon d'Égypte. En effet nous lisons, tout au début de l'histoire du règne de Salomon, dans 1 Rois 3 : 1, que « Salomon devint le gendre de Pharaon, le roi d'Égypte ; il prit pour femme la fille de Pharaon et l'introduisit dans la cité de David en attendant d'avoir achevé de construire sa propre maison, le Temple de YHWH, et le rempart autour de Jérusalem ». Il s'agirait, selon les historiens, du Pharaon Siamun ou du Pharaon Psousennès II, rois de la 21e dynastie[1]. Ce mariage valut à Salomon la cité de Gézer que le Pharaon donna en cadeau de noces à sa fille, l'épouse de Salomon (1 Rois 9 : 16)[2]. Il est précisé dans I Rois 7 : 8 : « Quant à la maison où il (Salomon) résidait, elle se trouvait dans une autre cour que celle de la maison destinée à la salle du trône ; elle avait la même forme. Pour la fille de Pharaon qu'il avait épousée, il dut construire une maison ; elle était comme cette salle (du trône) ». Une dernière précision nous est donnée dans I Rois 9 : 24 : « C'est seulement lorsque la fille de Pharaon monta de la cité de David dans la maison que Salomon lui avait bâtie qu'il construisit le Millo[3] ».

L'épouse de Salomon était donc une femme païenne. Aussi comprend-on les réflexions du second livre des Chroniques (8 : 11) qui reproduit bien le texte de I Rois 9 : 24, mais en y ajoutant un commentaire révélateur. Les lévites de son temps, à la fin du IVe siècle, étaient défavorables aux mariages avec des femmes païennes, sans parler des impuretés rituelles particulières aux femmes (le Temple d'Hérode aura un parvis des femmes) et de l'interdiction faite aux étrangers d'entrer dans le sanctuaire (Ez. 44 : 9). Selon le Chroniste, « Salomon fit monter la fille de Pharaon de la Cité de David jusqu'à la maison qu'il lui avait construite. Car il disait : « Ma femme ne doit pas habiter dans la maison de David, roi d'Israël, car ils sont saints, les lieux où est entrée l'arche de YHWH ». Le Targum des Chroniques renchérit encore : « Puisque ce sont des lieux saints, et il n'est pas permis qu'une femme y habite après que l'arche de YHWH y est entrée ». La fin du livre de Néhémie combat les mariages mixtes entre Juifs et païens et ajoute : « N'est-ce pas en cela qu'a péché Salomon, roi d'Israël ? Parmi tant de nations, aucun roi ne lui fut semblable ; il était aimé de son Dieu ; Dieu l'avait fait roi sur tout Israël. Même lui, les femmes étrangères l'entraînèrent à pécher. » (Néh. 13 : 26 ; cf. déjà Deut. 17 : 17).

Salomon ne fut pas le seul à épouser une princesse égyptienne. I Rois 11 : 18-20 raconte que l'édomite Hadad, réfugié en Égypte, épousa la sœur de la femme de Pharaon, la sœur de Taphnès, « épouse du roi », la Grande Dame. Son fils Genubat fut élevé dans le palais de Pharaon. C'est aussi en Égypte que s'enfuit Jéroboam ; il demeura auprès du Pharaon Sheshonq jusqu'à la mort de Salomon (I Rois 11 : 40 ; cf. 12 : 2). Par ailleurs, Salomon s'entoura de fonctionnaires égyptiens[4], tout en développant les échanges commerciaux avec l'Égypte, comme avec la Phénicie et le royaume de Saba. Des lettrés et des scribes égyptiens durent venir à Jérusalem où l'on connut alors leurs écrits de sagesse, leurs contes, leurs chants d'amour. Quoi de plus naturel que de célébrer les épousailles de Salomon et de la fille de Pharaon en s'inspirant de ces chants d'amour ? Gaston Maspéro avait déjà montré dès 1883 les affinités entre le papyrus Harris, le papyrus de Turin, et le Cantique des Cantiques[5]. Biblistes et égyptologues ont multiplié les travaux dans ce domaine de littérature comparée[6]. On se contentera ici de mentionner quelques rapprochements qui démontrent le propos du poète cherchant à restituer dans le Cantique la couleur locale égyptienne, pour évoquer les noces de Salomon avec la fille de Pharaon.

Déjà Théodore de Mopsueste (+ 428) voyait dans le Cantique un poème qui célébrait ces noces. Il notait que les femmes juives se moquaient de l'Égyptienne à cause de son teint foncé. Salomon, blessé au vif, ripostait en chantant son amour envers l'Égyptienne[7]. Comme on le sait, le cinquième Concile œcuménique condamna cette interprétation *infanda Christianorum auribus*. Le tort de

Théodore de Mopsueste fut d'en rester à l'histoire de Salomon sans voir en lui le type du Messie attendu par la Fille de Sion.

Assurément, les premières paroles de la jeune fille, « je suis noiraude et pourtant jolie » (1 : 5), se comprennent fort bien sur les lèvres d'une Égyptienne à la peau brunie, bronzée par le soleil d'Afrique. Dom Calmet y pensait déjà, mais sans parler de l'Égypte. Inutile de voir dans cette noirceur un symbole des épreuves subies par la Fille de Sion exilée et persécutée à cause de ses infidélités (c'était l'explication de A. Robert). Encore plus conjecturale serait une allusion au culte des vierges noires et de certaines divinités, comme le propose M.H. Pope[8]. Rappelons que les figurines égyptiennes étaient généralement peintes en ocre plus ou moins foncée, selon le sexe, pour rendre le teint sombre de la peau.

Les premières paroles du jeune homme mentionnent expressément le Pharaon : « A ma cavale, des attelages de Pharaon, je te compare, mon amie » (1 : 9). Étrange comparaison qu'on a du mal à expliquer. M.H. Pope consacre huit pages à ce verset[9]. D. Lys[10] pense qu'il s'agit d'équipages de luxe, mais il rapproche aussi les textes qui mentionnent les chevaux et les chars d'Égypte au temps de Salomon (1 Rois 5 : 6; 10 : 26, 29; 2 Chron. 1 : 17). Ce fut en effet l'un des traits les plus marquants de ce règne fastueux : il y eut 4000 stalles pour les chevaux et les chars, et 12 000 cavaliers, précise 2 Chron. 9 : 25, alors que 2 Chron. 1 : 14 parle de 1400 chars et de 12 000 cavaliers en reprenant le document cité dans 1 Rois 10 : 26 (le chiffre a été décalé dans 2 Chron. 9 : 25). Le pharaon Sheshonq marchera contre Jérusalem avec 1200 chars et 60 000 cavaliers (2 Chron. 12 : 2). La comparaison du Cantique rappelle celle d'Is. 63 : 13, reprise dans Sag. 19 : 9, et où les Israélites fuyant l'Égypte et traversant la mer Rouge sont comparés à des chevaux dans le désert. On sait aussi combien la poésie bédouine se plaît à comparer la bien-aimée à une cavale[11]. Ainsi Cant. 1 : 7 n'a rien d'insolite; bien plus, ce texte nous reporte dès le début vers l'Égypte.

Il en est de même pour les pendeloques et les guirlandes, les globules et les colliers (Cant. 1 : 10-11; 4 : 9). Les commentateurs hésitent entre une description du harnais du cheval ou de la parure féminine; Pope ne prend pas parti. Dès l'époque d'el-A-marna, les peintures et les sculptures[12] représentent souvent la tête des personnages ornée de guirlandes, de nattes, de perruques, de colliers, sans parler des pectoraux qu'évoquerait 4 : 4 : « Ton cou est comme la tour de David, bâtie par assises; mille rondaches y sont suspendues, tous les boucliers des preux ». Qu'il suffise de penser au buste de Nefertiti ! L'expression de 4 : 3, « tes lèvres, un fil d'écarlate », se référerait au fard que les Égyptiennes aimaient mettre sur leurs lèvres[13]. Elles portaient sur la tête des cônes parfumés, ce qui nous renvoie à 5 : 13 : « Ses joues, des parterres d'aromates, des massifs embaumés ». Qu'il suffise de rappeler aussi quelques thèmes communs au Cantique des Cantiques et aux chants d'amour égyptiens : le mal d'amour, l'attente devant la porte fermée, les pièges, les descriptions bucoliques et idylliques, avec jardins, animaux, fleurs, fruits, boissons, parfums, surtout la myrrhe et l'encens[14].

Le cortège de noces décrit dans 3 : 6-11 s'inspirerait d'un fait réel. Salomon dut aller chercher la fille de Pharaon à Gézer pour l'amener jusqu'à Jérusalem. Il était normal d'utiliser un palanquin ou une chaise à porteurs, souvent représentés dans les bas-reliefs et les peintures de l'ancienne Égypte[15]. G. Gerleman évoque aussi la fête Opet de Louxor quand le dieu Amon venait de Karnak rejoindre son épouse Mat à Louxor, et la « fête de la vallée » quand Amon traversait le Nil pour visiter les temples funéraires sur la rive occidentale[16].

Les derniers mots de cette section, « au jour de la joie de son cœur » (3 : 11) rappellent le titre du recueil de chants d'amour du papyrus Chester Beatty I, qui offre tant de contacts avec le Cantique : « Commencement de la grande joie de son cœur »[17].

La jeune fille se dénomme elle-même le lis des vallées (2 : 1), nom aussitôt repris par le jeune homme : « Comme le lis entre les chardons, telle est mon amie entre les jeunes femmes (2 : 2)». Or l'hébreu šwšnh est un emprunt à l'égyptien sššn (ancienne forme) ou sšn qui désigne le lotus. C'était un nom de femme en Égypte, comme myrrhe, sycomore, bouton de fleur, lapis lazuli, colombe, gazelle[18]. Il n'est pas impossible que l'épouse de Salomon ait porté ce nom. De toute façon, nous voici encore renvoyés à l'Égypte. La cueillette des lotus dans les marais du Nil est représentée dans la peinture égyptienne[19], ce qui illustre bien 6 : 2 : « Mon chéri est descendu à son jardin... pour cueillir des lis ». On a remarqué que les traversées de marais pour cueillir des papyrus pouvaient revêtir, au Moyen Empire, un caractère érotique. Dans le fragment de « l'histoire de berger », une femme, peut-être la déesse Hathor, cherche à séduire un berger près d'un marais de papyrus[20].

Dans le premier éloge que le jeune homme fait de sa bien-aimée, il l'appelle « sa sœur » (4 : 9, 10, 12 ; 5 : 1-2). Cette appellation est courante dans les poèmes d'amour égyptiens[21]. Ceux-ci font aussi une grande place, comme dans ce premier éloge (4 : 12 - 5 : 1), au thème du jardin, avec mention de grenadiers, d'arbres à encens, de plantes aromatiques, maintes fois figurée dans la peinture égyptienne. Il en est de même pour les pommes d'amour ou mandragores (Cant. 7 : 14)[22].

Les deux vents du nord et du sud (4 : 16) sont les deux vents dominants de la vallée du Nil, mais non de la Palestine. Ils se retrouvent dans Qohélet (1 : 6); «Le vent part au midi, tourne au nord», et même dans Ben Sira (43 : 16-17). Les sages d'Israël dépendent ici du monde égyptien[23].

Selon G. Gerleman, la description du jeune homme par sa bien-aimée (5 : 10-16) contiendrait plusieurs traits relevant de la statuaire égyptienne polychrome[24]. Il rapproche l'expression «ses mains, des pivots d'or» (5 : 14) d'un détail des portes égyptiennes : le gond inférieur, à trois angles, supportait le poids de la porte, tandis que le gond supérieur était cylindrique et ressemblait à un doigt[25]. Notons que l'hébreu *ketem* «or» (5 : 11) est un emprunt à l'égyptien. «L'or, c'est la chair des dieux», dit un texte égyptien[26]. Au v. 14, il est dit que le ventre du jeune homme est une plaque d'ivoire ; or, les plaques d'ivoire ou de métal, en Égypte, étaient souvent rondes ou ovales avec un trou au milieu. Le mot *šeš* «albâtre» (5 : 15), hapax en hébreu, provient de l'égyptien *shš/shšt*[27]. Au v. 15, les jambes sont «des colonnes d'albâtre fondées sur des *socles* d'or fin». On est donc en présence d'une véritable statue, selon G. Gerleman. Suggestion intéressante qui nous oriente une fois de plus vers l'ancienne Égypte. Il est vrai que J. B. White[28] juge inutile cette hypothèse tout en reconnaissant l'influence des poèmes d'amour égyptiens sur le Cantique.

Retenons une remarque de G. Gerleman à propos de 7 : 3 : «Ton nombril, une coupe arrondie». Le nombril des statues égyptiennes est généralement fait comme un bol renversé, un trou rond[29]. S'il en est ainsi, la traduction parfois proposée «sexe, vulve» pour l'hébreu *shr(r)*[30] n'aurait aucune justification. Le même mot désigne le cordon ombilical dans Ezéchiel 16 : 4.

On a proposé de voir dans l'énigmatique Amminadib de 6 : 12 la réplique palestinienne du Prince Mehi, sorte de Don Juan des chants d'amour égyptiens : il circule en char et s'ingère dans les amours d'autrui. Mais M. H. Pope a raison de penser que ce prince Mehi n'est pas le *deus ex machina* capable de nous rendre intelligible le difficile passage de 6 : 12[31]. Une autre solution sera proposée plus loin au chapitre VII.

L'Égypte ancienne a toujours apprécié la beauté des hommes et de la nature. L'admirable art amarnien témoigne du sens esthétique des artistes de la vallée du Nil qui n'avaient rien à apprendre de l'étranger. Tout au long de l'histoire égyptienne, les chefs-d'œuvre artistiques se sont multipliés. Le même amour de la beauté se manifeste dans la littérature et la religion. L'hymnologie célèbre sans cesse la beauté des divinités, comme les chants d'amour, celle des humains. Il n'en est pas de même dans l'Ancien Testament où la beauté de Dieu est rarement évoquée (Is. 33 : 17)[32], ainsi que celle du Roi messianique (Ps. 45 : 3). Comme on s'y attend, c'est dans le Cantique des Cantiques qu'est le plus souvent employée la racine *yfh* « être beau » : onze emplois sur vingt-huit dans le reste de l'Ancien Testament. G. Gerleman[33] remarque que cette racine revient encore douze fois dans les récits attribués à la tradition « yahviste » et ceux qui ont trait au règne de David et de Salomon. C'est ainsi qu'on parle de la beauté de Sara (Gen. 12 : 11), de Rébecca (24 : 16), de Rachel (29 : 17), de Joseph (39 : 6), de David (1 Sam. 16 : 12 et 17 : 42), d'Abigaïl (*ibid.*, 25 : 3), de Bethsabée (2 Sam. 11 : 2), d'Absalom (*ibid.*, 14 : 25), de sa sœur Tamar (*ibid.*, 13 : 1) et de sa fille Tamar (*ibid.*, 14 : 27), d'Abishag (1 Rois 1 : 3). Nous voici de nouveau ramenés au début de la monarchie. Amos parle, en passant, des belles jeunes filles (8 : 13). C'est après l'exil que les sages développeront le thème de la beauté féminine (Prov. 5 : 19; 11 : 22; 31 : 30; Job 42 : 15; Ben Sira 26 : 13 ss; Esther; Judith; Suzanne) et de ses dangers. Comme le souligne G. von Rad, une telle beauté est conçue surtout comme fonctionnelle, à la différence de l'idéal plastique des Égyptiens[34].

Enfin, l'Égypte est la patrie de l'allégorie si l'on en croit l'égyptologue J.G. Griffith[35]. Celui-ci rassemble un dossier impressionnant de fables, d'énigmes, de centons, recueillis à travers les contes et les romans égyptiens. Cette littérature allégorique connut un grand développement aux temps hellénistiques; elle exerça une influence notable sur les écrivains et les philosophes de la Grèce et du monde antique. Rien d'étonnant qu'une telle influence se soit aussi fait sentir assez tôt sur la Palestine voisine, en particulier sur les cercles littéraires de Jérusalem, assez ouverts sur le monde païen malgré les résistances des responsables religieux.

Dès le IXe siècle, peut-être dès l'époque mosaïque (XIIIe siècle), les lettrés, poètes et chanteurs des bords du Nil ont dû faire connaître aux Israélites les chants d'amour de leur pays. A la cour de Salomon et de son épouse égyptienne, ces poèmes devaient être récités et chantés, sans doute en traduction hébraïque. Ils devinrent ainsi peu à peu partie intégrante du patrimoine littéraire et musical du peuple hébreu, comme ce fut le cas pour les écrits de sagesse (Amenemopé, etc.). C'est ainsi que le chant de la vigne (Isaïe 5 : 1 ss) pourrait y faire allusion. De tout temps, la célébration des noces était l'occasion de chants, de danses et de musique (Ez., 33 : 32 ; Ps. 78 : 63 ; 1 Mac. 9 : 39-41). Jérémie parle plusieurs fois des cris de joie et d'allégresse, des appels du fiancé et de la fiancée (7 : 34 ; 16 : 9 ; 25 : 10 ; 33 : 11 ; cf. Bar. 2 : 33). Ces relais bibliques antérieurs ou postérieurs à l'Exil de Babylone permettent de supposer la transmission, de siècle en siècle, de chants d'amour dont plusieurs pouvaient s'inspirer de modèles égyptiens.

Outre certaines coutumes orientales relatives au mariage, on n'a pas manqué d'évoquer à propos du Cantique les vieux rites de fertilité dans les hiérogamies, et même la prostitution sacrée — sinon profane. La Bible y fait parfois allusion[36]. On a donc cherché à situer la préhistoire du Cantique dans cette ambiance particulière, attestée dès la plus haute époque dans l'ancien Orient[37]. Mais il faut reconnaître qu'il s'agit là d'un arrière-plan hypothétique et en tout état de cause parfaitement démythisé à l'époque de la composition définitive du Cantique, au temps du Second Temple.

C'est en effet à l'époque perse qu'un poète inspiré a sélectionné de vieux chants d'amour d'origine égyptienne et les a incorporés avec bien d'autres matériaux d'origine diverse à son œuvre poétique originale, destinée aux Juifs croyants de son temps. Parfaitement initiés à l'histoire et aux traditions de leur peuple, les fidèles de YHWH avaient alors besoin d'être stimulés et affermis dans leur attente messianique qui risquait de faiblir et même de sombrer en raison du délai apparemment indéfini de l'avènement du nouveau Salomon, fils de David. On comprend dès lors pourquoi certaines parties du Cantique, qui n'avaient sans doute à l'origine qu'une signification érotique, acquirent un sens nouveau, authentiquement biblique, par suite de leur insertion dans un livret où devait s'exprimer l'amour réciproque du nouveau Salomon, le Messie attendu, et de sa fiancée, la Fille de Sion.

*
* *

NOTES

1. Ce mariage était tout à fait exceptionnel, car les Pharaons ne mariaient pas leurs filles à des étrangers, comme l'écrit Aménophis III au roi de Babylone Kadashman-Enlil I, vers 1400 avant J.-C. (Lettre 4 d'el-Amarna, lignes 6-7). Cf. A. MALAMAT, *The Kingdom of David & Salomon in its Contact with Egypt and Aram Naharaim*, dans *The Biblical Archaeologist* 21 (1958), p. 98; *ibid.*, 30 (1967), p. 42. Sur la 21e dynastie, voir E.F. WENTE, *On the Chronology of the twenty first Dynasty*, dans *JNES* 26 (1967), pp. 155-176.

2. Ce mariage confirmait un traité d'alliance avec le Pharaon qui cédait avec Gézer une partie de ses conquêtes en Philistie (cf. A. MALAMAT, *Aspect of the Foreign Policies of David and Salomon*, dans *JNES* 22 (1963), pp. 8-17. E.W. HEATON a pu même parler de Salomon comme le Pharaon d'Israël (*Salomon's New Men. The Emergency of Ancient Israel as a National State*, Londres, 1974, pp. 28-30).

3. Dès le temps du Nouvel Empire, la reine d'Égypte avait son propre palais. Il en fut ainsi à Jérusalem. Notons que Moïse, sauvé à sa naissance par la fille de Pharaon (Ex. 2 : 10), épousa une femme koushite (Nomb. 12 : 1).

4. Cf. R. de VAUX, *Titres et fonctionnaires égyptiens à la cour de David et de Salomon*, dans *RB* 48 (1939), pp. 394-405; J. METTINGER, *Salomon State Officials*, Lund, 1971; A.R. GREEN, *Israelite Influence at Sheshak's Court*, dans *BASOR* 233 (1979), p. 59.

5. G. MASPÉRO, *Les chants d'amour du papyrus de Turin et du papyrus Harris n°500*, dans *JA* 8 (1883), pp. 5-47). « Il y aurait donc avantage, écrivait-il en conclusion, à comparer l'un à l'autre le Cantique et les chansons égyptiennes; on éclaircirait peut-être certains passages restés obscurs des deux côtés. C'est là toutefois une tâche que j'abandonne volontiers à plus compétent que moi; il me suffira pour le présent d'avoir fourni une partie des matériaux à qui voudra l'entreprendre. »

6. Outre le dossier déjà publié dans ROBERT-TOURNAY, pp. 340-352, on se reportera à J.B. WHITE, *A Study of the Language of Love in the Song of Songs and Ancient Egyptian Poetry* (SBL 38), Missoula, Montana, 1878; voir aussi POPE, *passim*; M.V. FOX, *The Cairo Love Songs*, *JAOS* 100 (1980), pp. 101-109; V.L. DAVIS, *Remarks on Michael V. Fox's « The Cairo Love Songs »*, *ibid.*, pp. 111-114; K. PETRÁČEK, *Die Tradition der erotischen Poesie im Nahen Orient und ihre Ausmündung in die romanische Lyrik*, dans *Festschrift Lubor Matouš*, hrsg. B. Hruska – G. Komoróczy, Budapest, 1979, pp. 201-209.

7. MIGNE, *Patrologie grecque*, 66, col. 699-700.

8. *Op. cit.*, pp. 306-317. Autre essai d'explication par J. CHERYL EXUM, *Asserative ʿal in Canticles 1, 6 ?*, dans *Bib.* 62 (1981), pp. 416-419. Au v. 6, le verbe *šzf* pourrait se traduire par « apercevoir, repérer », comme dans Job. 20 : 9 et 28 : 7 (seuls autres emplois).

9. *Op. cit.*, pp. 336-343. O. LORETZ propose d'omettre comme une addition « aux chars de Pharaon » (*Die Stute in der Kavallerie des Pharao, HL I, 9*, dans *Ugarit-Forschungen*, 10 (1978), pp. 440-441.

10. *Op. cit.*, p. 82.

11. Cf. G. DALMAN, *Palästinische Diwan*, Leipzig, 1901, pp. 319, 327.

12. Cf. J. VANDIER, *Manuel d'Archéologie égyptienne*, III, 1958, pp. 491 ss; IV, 1964, pp. 30, 172 ss.

13. *ANEP*, 1954, p. 23, fig. 78.

14. Sur la myrrhe, cf. O. LORETZ, *Studien zur althebräischen Poesie, I, Das althebräische Liebeslied*, AOAT 14/1, 1971, p. 10. Sur les parfums, cf. E. COTHENET, art. *Parfums*, *DBS* 6 (1960), col. 1304-1306.

15. Cf. J. VANDIER, *op. cit.*, IV, pp. 328-363.

16. Cf. POPE, p. 428 ; G. GERLEMAN, *Ruth. Das Hohelied*, 1965, p. 136.

17. Cf. P. GILBERT, *Le grand poème d'amour du papyrus Chester Beatty I*, dans *CEg*, 17, n° 34 (1942), pp. 185-198 ; ROBERT-TOURNAY, pp. 341-343 ; J.B. WHITE, *op. cit.*, pp. 177-181.

18. Cf. S. SCHOTT, *Les chants d'amour de l'Égypte ancienne*, Paris, 1956, pp. 116, 178 et note 42 ; H. RANKE, *Die ägyptische Personennamen*, 1935, pp. 297-298 ; ROBERT-TOURNAY, p. 436.

19. Cf. J. VANDIER, *op. cit.*, V (1969), pp. 453-456. Voir p. 64.

20. Cf. J.B. WHITE, *op. cit.*, p. 73 ; A. HERRMANN, *Altägyptische Liebesdichtung*, Wiesbaden, 1959, pp. 17-19.

21. Cf. LYS, pp. 181-182 ; A. BARUCQ et F. DAUMAS, *Hymnes et prières de l'Égypte ancienne* (LAPO 10), Paris, 1980, p. 442, note g.

22. Cf. S. SCHOTT, *op. cit.*, p. 47, figure 21 (Thèbes, tombe 1).

23. Le vent du sud est encore mentionné dans Ps. 78 : 26 et Zach. 9 : 14 (texte qui peut dépendre de Hab. 3 : 3).

24. *Op. cit.*, pp. 68-72.

25. *Ibidem*, p. 176.

26. Cité par F. DAUMAS, *Les Mammisis des temples égyptiens. Études d'archéologie et d'histoire religieuse*, Paris, 1958, p. 7 ; ID, *La valeur de l'or dans la pensée égyptienne*, dans *RHR* 149 (1956), pp. 1-17 ; A. BARUCQ-F. DAUMAS, *Hymnes et prières...*, p. 264.

27. En égyptien, albâtre se dit aussi *bj.t*, correspondant à l'hébreu *bḥt* (Esther 1 : 6, hapax). On rapproche *nidgalôt* (6 : 4.10) de l'égyptien *dgr* «fanion, détachement», d'où la traduction «bataillons». S.D. GOITEIN propose une autre interprétation «splendide comme les étoiles brillantes» (*Ayumma kannidgalôt (Song of Songs VI, 10). «Splendid like the Brillant Stars»*, dans *JSS* 10, 1965, pp. 220-221).

28. J.B. WHITE, *op. cit.*, p. 119.

29. Cf. *op. cit.*, p. 197.

30. Ainsi LYS, p. 258 ; E.-M. LAPERROUSAZ dans *REA* 73 (1971), pp. 372-373, et *REJ* 133 (1974), pp. 2-4 ; POPE, p. 617.

31. Cf. *op. cit.*, p. 589 ; P.S. SMITTER, *Prince Mehy of the Love Songs*, dans *JEA* 34 (1948), p. 116 ; voir *BdJ*, 2e éd., 1973, p. 956, note *c*.

32. A moins de traduire *ṭob* par «beau», comme par exemple dans Gen. 6 : 2 (les filles des hommes qui étaient belles), ou bien d'attribuer cette nuance à certaines épithètes comme *n'm* (Ps. 90 : 17 ; 135 : 3). Ainsi dans le nom Elna'am (1 Chron. 11 : 46). A propos d'Is. 33 : 17, H. WILDBERGER (*Jesaja*, X, 16, p. 1315) cite plusieurs hymnes égyptiens.

33. *Op. cit.*, p. 74. Il note aussi que la racine *'hb* «aimer» au sens physique, érotique, se trouve sept fois dans le Cantique, onze fois dans les récits de la tradition «yahviste» et ceux des livres de Samuel, sur un total de trente emplois environ dans tout l'Ancien Testament.

34. C'est ainsi qu'on parle de la beauté de Sion, du peuple d'Israël, etc. (cf. Ps. 48 : 3 ; 50 : 2 ; Zach. 9 : 16 ; Baruch 5 : 1 ; Ez. 16 : 13-15, etc.). Voir G. von RAD, *Theologie des Alten Testaments*, I, pp. 362, 365. Il s'agit d'une beauté «sacrale» (cf. C. WESTERMANN, *Das Schöne im A. T.*, dans *Beiträge A. T. Theologie — Festschrift W. Zimmerli*, Göttingen, 1977, pp. 479-497.

35. *Allegory in Greece and Egypt*, dans *JEA* 53 (1967), pp. 78-102 ; article résumé dans *The Tradition of Allegory in Egypt*, publié dans *Religions en Égypte hellénistique et romaine*, Colloque de Strasbourg (1967), Paris, P.U.F., 1969, pp. 45-57.

36. Gen. 38 : 21 ; Deut. 23 : 18 ; 1 Rois 14 : 24 ; 15 : 12 ; 22 : 47 ; 2 Rois 23 : 7 ; Os. 2 : 4 ; 4 : 14 ; Job. 36 : 14.

37. Cf. O. LORETZ, *Der erste «Sitz im Leben» des Hohenliedes*, dans *Zur Rettung des Feuers. Solidaritätsschrift für Kuno Füssel* (Christen für den Sozialismus, Gruppe Münster,

Hamburger Str. 40), 1981, pp. 32-39; O. KEEL, *Zeichen der Verbundenheit...*, dans *Mélanges D. Barthélemy* (OBO 38), Fribourg, 1981, pp. 197-209. Le verbe « surgir » (Cant. 6 : 10) signifie « regarder par la fenêtre » dans Jug. 5 : 28 et Prov. 7 : 6 (thème iconographique souvent représenté sur des ivoires orientaux). Sur le mythe sumérien de la hiérogamie, ou mariage sacré, entre Dumuzi et Inanna (Tammuz et Ishtar) et certains parallèles avec le Cantique, voir ROBERT-TOURNAY, pp. 352-376, et S.N. KRAMER, *The Sacred Marriage. Rite, Aspects of Faith, Myth, and Ritual in Ancient Sumer*, Indiana Univ. Press, Bloomington & London, 1969, pp. 85-106 et 352-376.

CHAPITRE IV

« MON CHÉRI QUI DORT
ET QUE JE CHERCHE »

L'Abbé Ruppert avait expliqué, au XIIe siècle, que le Cantique des Cantiques devait son nom à la présence du refrain : « Je vous en conjure, filles de Jérusalem..., n'éveillez pas, ne réveillez pas l'Amour avant son bon vouloir » (2 : 7 ; 3 : 5 ; 7 : 4)[1]. Les premiers mots de ce refrain reparaissent dans 5 : 8 : « Je vous en conjure, filles de Jérusalem... », tandis que la suite concerne la recherche du jeune homme : « Si vous trouvez mon chéri, que lui annoncerez-vous ? » Que j'ai le mal d'amour ». Ce dernier mot, « amour » n'est pas ici précédé de l'article comme il l'était dans le refrain et comme il le sera à la fin du poème (8 : 7) ; l'article manque aussi dans les autres emplois du mot « amour » (2 : 4, 5 ; 3 : 10 ; 7 : 7 et 8 : 6). Mais la grammaire à elle seule ne peut nous donner de précision sur la signification du mot « amour » dans le refrain du réveil. Beaucoup d'exégètes y voient un emploi poétique d'un terme abstrait *(abstractum pro concreto)* pour désigner l'un des deux amants. S'agit-il du jeune homme ou de la jeune fille ? Ne pourrait-il pas s'agir de la passion réciproque des deux jeunes gens ?

Il était inévitable que le mot « amour », de genre féminin dans l'hébreu, fût appliqué à la jeune fille. Plusieurs versions (Peshitto, Vetus Latina, Vulgate) rendent le mot abstrait par un participe féminin, « la bien-aimée ». Cette interprétation est acceptée par de nombreux auteurs modernes[2] qui s'appuient en particulier sur 7 : 7 où « amour, fille de délices » se rapporte évidemment à la jeune fille[3]. C'est ainsi que A. Robert, identifiant l'époux du Cantique à YHWH, voit dans le refrain du réveil un appel divin à la conversion d'Israël encore en sommeil. Il en rapproche Is. 51 : 17 : « Réveille-toi, réveille-toi, debout, Jérusalem », et aussi 52 : 1 : « Éveille-toi, éveille-toi, revêts ta force, Sion ». Selon A. Robert, le seul personnage du Cantique qui nous est présenté comme étant en sommeil, c'est l'épouse, symbole de la nation israélite, de la Fille de Sion[4]. Mais il ne semble pas que cette interprétation s'impose en vertu du texte hébreu.

En effet, dans 5 : 8, cité plus haut, c'est bien la jeune fille qui parle de son chéri aux filles de Jérusalem. C'est elle aussi qui, dans 3 : 1-3 et 5 : 6-7, est à la recherche de son chéri, et non l'inverse. Il ne faut pas non plus oublier que, dès le début du Cantique (1 : 13), la jeune fille dit que son chéri est un sachet de myrrhe qui *passe la nuit* entre ses seins. C'est donc lui qui dort, et non elle. Elle veille la nuit (3 : 1) et n'est qu'en demi-sommeil d'après 5 : 2 : « je sommeille, mais mon cœur veille ». C'est lui qu'il ne faut pas éveiller avant son bon plaisir. C'est lui qui est « amour ». Ainsi le comprennent plusieurs exégètes modernes avec la version anglaise du King James[5].

Ce thème du sommeil du jeune homme et de son réveil ultérieur, après plusieurs « recherches », est fondamental pour l'interprétation générale du Cantique des Cantiques. Il assure son unité profonde et permet de comprendre certains passages demeurés jusqu'ici obscurs et ambigus. Il en est ainsi de 8 : 3 ss où la jeune fille, qui s'adressait auparavant à son chéri, répète ce qu'elle avait déjà dit dans 2 : 6 : « Son bras gauche est sous ma tête et sa droite m'étreint ». Elle poursuit en reprenant le refrain du réveil : « Je vous en conjure, filles de Jérusalem, n'éveillez pas, ne réveillez pas l'Amour avant son bon vouloir ».

Une nouvelle section débute au v. 5 par l'interrogation : « Qui est celle-ci qui monte du désert, appuyée sur son chéri ? ». Cette question ressemble beaucoup à celle de 3 : 6 qui introduisait la description du cortège nuptial du roi Salomon : « Qu'est-ce là qui monte du désert comme une colonne de fumée ? ». Mais à la différence de 3 : 7, « Voici la litière de Salomon... », la suite de 8 : 5 ne semble pas correspondre à l'interrogation initiale. Il doit cependant s'agir de la jeune fille, comme dans 6 : 10, où reines et concubines la célébraient en disant sur un ton aussi interrogatif : « Qui est celle-ci qui surgit comme l'aurore... ? ».

La seconde partie de 8 : 5 est un tristique avec une emphase : là où ta mère t'a conçu, là où a conçu celle qui t'a enfanté . Tous les verbes ont un suffixe masculin de la 2e personne dont l'antécédent ne peut être que le jeune homme, comme au verset suivant : «Pose-moi comme un sceau sur *ton* cœur (suffixe masculin)». Il est vrai que la Peshitta lit ici des suffixes féminins qui ont alors pour anté-cédent la jeune fille; c'est elle, et non le jeune homme, que l'on réveille. A. Robert et d'autres exégètes corrigent de la même façon le texte massorétique pour l'adapter à leur thèse fondamentale : le réveil de la Fille de Sion, sa conversion[6]. Mais il faut avant tout respecter le texte reçu : «Sous le pommier[7], je te réveille, là où ta mère t'a conçu, là où a conçu celle qui t'a enfanté[8]». C'est bien la jeune fille qui réveille ici son chéri et c'est encore elle qui parle au verset suivant. L'ensemble forme un discours cohérent comme précédemment 7 : 10[b] à 8 : 4. Et c'est toujours la jeune fille qui parle. La grande différence est que le temps du sommeil est terminé pour le garçon et que le moment de son réveil est enfin arrivé.

Cette nouvelle situation prend une signification toute particulière si elle s'applique au nouveau Salomon, le Messie attendu par Israël. En effet, l'histoire du règne de Salomon, dans 1 Rois 3, fait succéder au récit du mariage avec la fille de Pharaon le récit du songe de Gabaon quand YHWH apparut *la nuit* à Salomon. Celui-ci demanda à Dieu la sagesse et elle lui fut accordée en plus de la richesse et de la gloire. Alors Salomon «s'éveilla *(wyqṣ)* et voilà que c'était un songe»[9]. Un autre texte parle aussi du sommeil de Salomon, si l'on en croit le titre du Ps. 127 (postexilique) «De Salomon», et l'allu-sion du v. 2 au bâtisseur du Temple de YHWH («Si le Seigneur ne bâtit la maison...») : «Vanité de vous lever le matin, de retarder votre coucher, mangeant le pain des douleurs : il donne autant[10] à son bien-aimé en sommeil». Salomon est à la fois Yedidya, «le bien-aimé de YHWH» (2 Sam. 12 : 25) et le bénéficiaire du songe de Gabaon. Ce passage psalmique illustre bien la tradition qui se développa en Israël à propos de Salomon. C'est à lui que 1 Rois 5 : 12 attribue 1005 chants, et Ben Sira (47 : 17) dit que ces chants ont fait l'admiration du monde.

Il était naturel d'évoquer le délai de l'avènement du nouveau Salomon, le Messie tant attendu, par l'image poétique du sommeil. D'autant que cette image était devenue un anthropomorphisme courant pour reprocher à Dieu son silence et son apparente inertie à l'égard de son peuple malheureux : «Réveille-toi, mon Dieu» (Ps. 7 : 7); «Éveille-toi, lève-toi» (Ps. 35 : 23); «Lève-toi, pourquoi dors-tu, Seigneur ? Réveille-toi... pourquoi caches-tu ta face ?» (Ps. 44 : 24-25); «Réveille-toi...» (Ps. 59 : 5); «Il s'éveille comme un dormeur, le Seigneur » (Ps. 78 : 65). Dieu reste caché et comme absent (Ps. 89 : 47 ; Is. 45 : 15)[11]. S'il est vrai que YHWH ne dort ni ne sommeille, lui, le gardien d'Israël (Ps. 121 : 4), le psalmiste l'implore pour qu'il vienne : « Quand viendras-tu vers moi ? » (Ps. 101 : 2). De même dans Is. 63 : 19 : « Ah ! si tu déchirais les cieux et si tu descendais ! ».

Ces appels angoissés et répétés à une intervention divine en faveur de Jérusalem et d'Israël à l'époque du second Temple impliquaient l'ardent souhait de l'avènement du Roi Messie, nouveau David, nouveau Salomon. Les prophètes Aggée et Zacharie avaient salué en Zorobabel le « germe » de la dynastie davidique et le restaurateur du Temple ruiné. Mais cet espoir avait été déçu ; Zorobabel avait disparu sans laisser de trace ; on avait fait le silence sur l'échec de sa mission (voir p. 58).

Non seulement le thème du sommeil se prêtait parfaitement à évoquer le retard douloureusement ressenti par les Juifs dans la venue du Messie, mais aussi le thème de l'absence et celui de la recherche pouvaient être exploités dans le même sens. Ainsi, les deux recherches (3e et 6e poèmes) par la jeune fille de son chéri ne reprenaient pas seulement un leit-motiv des chants d'amour, mais elles acquéraient un relief particulier si l'on pensait au nouveau Salomon : « J'ai cherché celui que mon cœur aime » (3 : 1) ; « je chercherai celui que mon cœur aime », « je l'ai cherché, mais je ne l'ai pas trouvé » (3 : 12) ; « j'ai trouvé celui que mon cœur aime » (3 : 4) ; « je le cherche, mais je ne le trouve pas ; je l'appelle, mais il ne me répond pas » (5 : 6). Dans le second épisode de la recherche, la jeune fille est blessée par les gardes de la ville qui lui enlèvent son manteau (5 : 7). Malade d'amour, elle décrit son chéri *en son absence*. Les filles de Jérusalem lui proposent alors de le chercher avec elle (6 : 1).

A. Robert a replacé ces textes dans la perspective biblique du langage de l'Alliance. Le thème chercher-trouver revient souvent pour décrire les rapports réciproques d'Israël et de son Dieu, YHWH[12]. Il constitue une inclusion dans le plus long psaume, 119, aux vv. 1 et 171. Il apparaît dans la première partie des Proverbes (1 : 28 ; 7 : 15 ; 8 : 17), rédigée après le retour de l'Exil. Il est surtout fréquent dans le second livre des Chroniques, peu éloigné dans le temps du Cantique des Cantiques, et dont les neuf premiers chapitres sont consacrés au règne de Salomon. Citons par exemple l'exhortation du prophète Azaryahu (2 Chron. 15 : 2 ss) où l'expression « chercher/trouver Dieu » revient avec insistance et jusque dans la conclusion : « C'est de plein gré qu'ils *cherchèrent YHWH*. Aussi se laissa-t-il *trouver* par eux et leur donna-t-il du repos de tous côtés ». Cependant, A. Robert jugeait inconcevable que le Messie pût se manifester pour ensuite disparaître. C'était oublier l'épisode de Zorobabel, gouverneur de Juda, « germe davidique », sur qui se portèrent quelque temps les espérances messianiques d'Israël, mais qui disparut prématurément[13]. Ce triste souvenir a pu suggérer la description des deux « recherches » par la jeune fille de son chéri. C'était indirectement reporter les esprits vers l'attente anxieuse, toujours déçue et sans cesse renaissante, du Roi promis à la Fille de Sion (cf. Zach. 9 : 9). Selon ce *double entendre*, on s'explique beaucoup mieux le fait que le jeune homme prenne si rarement la parole : cinq versets seulement (1 : 9-11, 15 ; 2 : 2) et les deux descriptions de sa bien-aimée (4 : 1-14 et 5 : 1 ; 6 : 4-10 et 7 : 1c-10a). Ailleurs, c'est la jeune fille qui parle, avec les filles de Jérusalem. Et il faut attendre la fin du poème pour que la jeune fille « réveille »[14] enfin de son sommeil (8 : 5c) son chéri ; c'est encore elle qui prononce l'épilogue de tout le poème, si l'on considère avec la plupart des exégètes que 8 : 8-14 représente un appendice ajouté après coup.

C'est ainsi que le Cantique des Cantiques est susceptible d'être interprété, non seulement comme un chant d'amour véritable entre deux amants, mais aussi comme un chant nostalgique qui appelle la venue du nouveau Salomon, le Roi qui apportera la paix et le bonheur à la Fille de Sion. C'est lui qui sera la Paix (Michée, 5 : 4)[15] et aussi l'Amour (cf. I Jean 4 : 8, 16). Quant à elle, la Shulamite, elle sera celle qui a *trouvé* la *Paix* (8 : 10), mais non sans avoir souffert de la part des « gardes » (cf. Is. 52 : 8 ; 62 : 6) postés sur les « murs » de la « ville » (cf. Néh. 7 : 3). On ne peut s'empêcher de penser ici à Jérusalem avec ses murs rebâtis par Néhémie. Mais il faut se garder de tomber dans l'allégorie pure et simple[16]. C'est la reprise du verbe « trouver » ainsi que le mot « paix », dans 8 : 10 qui suffisent à suggérer que cette lecture historicisante du Cantique n'était pas étrangère aux premiers lecteurs du livret, eux qui en furent aussi les premiers éditeurs responsables — et donc inspirés — vis-à-vis de la communauté et du peuple d'Israël. Nous ne pouvons négliger cette *première* démarche herméneutique à l'égard du Cantique des Cantiques.

*
*   *

NOTES

1. Voir p. 28, note 2.

2. Dom Calmet, Renan, Lys, Robert, ainsi *BdJ*, *TOB*, etc.

3. Avec Syriaque et Aquila, on coupe en deux mots le texte massorétique « dans les délices » en lisant *bat ta‘anugîm* « fille de délices » (il y a eu une haplographie du *taw*).

4. *Op. cit.*, p. 296. J'avais suivi cette interprétation dans *Le Cantique des Cantiques. Commentaire abrégé* (Lire la Bible 9), Paris, 1967, p. 56.

5. *Authorized Version*, 1611. Cf. Grätz, Harper, Zapletal, Gerleman, etc. Le verbe hébreu *taḥpaṣ* est au féminin parce que le sujet *’ahabah* est de genre féminin. — I : 13 est cité dans la *Gemara* à propos des deux bras de l'arche en saillie (cf. S. LEGASSE, *Les voiles du Temple de Jérusalem*, RB, 1980, p. 581, note 107).

6. Pour ne pas corriger le texte hébreu comme le faisait A. Robert, j'avais proposé d'expliquer les suffixes masculins en supposant qu'ils voulaient suggérer de voir dans l'épouse le groupe des Juifs rapatriés (*op. cit.*, p. 149). Je renonce à une telle hypothèse.

7. Dans 2 : 3, la jeune fille comparait son chéri à un pommier : « A son ombre que je convoîtais, je me suis assise, et son fruit est doux à mon palais ». Dans 7 : 9, l'haleine de la jeune fille est assimilée au parfum des pommes (l'hébreu *tappuaḥ* « pomme » dérive du verbe *napaḥ* « souffler »).

8. Le texte hébreu se traduit « elle t'a enfanté ». La Septante lit le participe en vocalisant différemment le verbe. Noter l'emphase de cette phrase, avec les répétitions de l'adverbe « là » (cf. p. 34) et du verbe « concevoir ».

9. Cet épisode a été rapproché de plusieurs textes égyptiens, en particulier la « stèle du Sphinx » du pharaon Touthmès IV. Cf. M. GÖRG, *Gott-König-Reden in Israel und Ägypten* (*BWANT* 105), Kohlhammer, 1975.

10. *Ken* « de même, également » (cf. Ez. 40 : 16, etc.). V. HAMP (*Festschrift Ziegler*, II, 1972, pp. 71-79) traduit : « Il donne justement à son bien-aimé le sommeil ». Ce dernier mot a une graphie araméenne ; on y a vu une addition. Les versions ont compris : « alors qu'il donnera à son ami le sommeil ». M. DAHOOD rapproche le syriaque et l'éthiopien « prospérité », dans *Or*, 94 (1975), pp. 106-108 ; VI, 24 (1974), p. 15. On corrige parfois le mot en *šine’an* « doublement », ainsi dans la Néo-Vulgate. Cf. Leo PERDUE, *Wisdom and Cult*, Montana (Scholars Press), 1977, p. 297.

11. Sur ce « sommeil », voir G. HAURET dans *RSR* 34 (1960), pp. 3-6. Les prophètes ont disparu (Ps. 74 : 9 ; 77 ; 9 ; 1 Mac. 4 : 46 ; 9 : 27 ; 14 : 41).

12. Os. 2 : 9 ; 3 : 5 ; 5 : 6, 15 ; Am. 5 : 4-6 ; Jér. 29 : 13 ; Is. 45 : 19 ; 51 : 1 ; 55 : 6 ; 65 : 1 ; Zach. 8 : 21-22 ; Sag. 1 : 1-2 ; 6 : 12-14 ; Matt. 7 : 7-8 ; Jean, 1 : 38-41 ; 7 : 34-36. Sur le thème chercher-trouver, cf. C. WESTERMANN, *Die Begriffe für Fragen und Suchen im A. T.*, dans *Kerygma und Dogma*, 6, Göttingen, 1960 ; S. WAGNER, art. *bqšh*, *ThAT*, I, col. 754-769 ; *drš*, *ibid.*, II, col. 313-329 ; voir les articles réunis dans *Quaerere Deum*, Atti delle XXV Settimana biblica (Paideia ed.), 1980, 478 p. Le thème chercher-trouver se trouve dans les prières égyptiennes. Ainsi dans une prière d'un aveugle au dieu Amon : « Amon, grand Seigneur pour qui le cherche, si toutefois (?) on le trouve » (A. BARUCQ et F. DAUMAS, *Hymnes et Prières...*, 1980, p. 206, ligne 25).

13. A. Robert avait évoqué au passage cet épisode ; j'avais suggéré une allusion possible dans Cant. 5 : 6 (ROBERT-TOURNAY, p. 445, sur la p. 204). Néhémie (5 : 15) dit que les précédents gouverneurs pressuraient le peuple ; on connaît par des sceaux trois noms de gouverneurs après Zorobabel : *’lntn*, *yhw‘zr*, *’hzy* (N. AVIGAD, *Bullae and Seals from Post-Exilic Judaen Archive*, Qedem 4 (1976).

14. Le verbe hébreu est au parfait comme les suivants. Mais la forme *qaṭal* peut s'employer pour une action instantanée qui s'accomplit à l'instant même de la parole. Presque tous les exemples sont à la première personne ; c'est ici le cas (cf. JOÜON, § 112 *f*).

15. B. RENAUD opte pour la traduction la plus simple : « Et ce sera la paix » (*La formation du livre de Michée*, Paris, 1977, p. 234).

16. Cyrille d'Alexandrie voit dans Cant. 3 : 1 une allusion aux femmes qui cherchent Jésus le matin de Pâques (*Patr. Grecque*, 69, col. 1285). A. FEUILLET en rapproche aussi l'épisode des pèlerins d'Emmaüs (*La recherche du Christ dans la nouvelle Alliance d'après la christophanie de Jo. 20, 11-18*, dans *L'homme devant Dieu. Mélanges H. de Lubac. Exégèse et Patristique*, Paris, Aubier, 1964, pp. 93-112). Il rapproche aussi Apoc. 3 : 20 de Cant. 5 : 1-2, et Apoc. 12 : 1 ss de Cant. 6 : 10 (*Études d'exégèse et de théologie biblique. Ancien Testament*, Paris, 1975, pp. 333-361, et déjà dans *RSR* 49, 1961, pp. 321-353).

CHAPITRE V

L'AMOUR FORT COMME LA MORT

Avant d'étudier en détail plusieurs passages difficiles du Cantique des Cantiques, il y a lieu de porter notre attention sur l'épilogue (8 : 5-7) comme nous l'avons fait sur le prologue (p. 31 ss). Il n'est pas déraisonnable de penser que ces versets de conclusion ont de quoi nous éclairer, comme ce fut le cas du prologue, sur la signification profonde du Cantique en tant qu'écrit biblique et lu comme tel par la communauté des Juifs croyants, des « pauvres de YHWH ». On a déjà vu comment le personnage de Salomon, si ambigu pour le narrateur du livre des Rois et ultérieurement pour les sages d'Israël (Qohéleth 1 et 2 ; Ben Sira, 51 : 13 s.), sans parler de Néhémie 13 : 26, se trouvait idéalisé dans le Cantique comme dans les livres des Chroniques. C'est qu'il était devenu le type même du Roi-Messie anxieusement attendu et qu'il incarnait l'idéal de paix et de bien-être promis depuis des siècles à Israël. Dès lors, rien d'étonnant si la finale du Cantique présente une saveur toute biblique.

Il en est ainsi du verset 6. Réveillé par sa bien-aimée, le jeune homme écoute la dernière demande qu'elle lui fait : « Pose-moi comme un sceau sur ton cœur, comme un sceau sur ton bras ». On rapproche de ce texte un passage du septième poème de l'ostracon du Caire n° 25218 : « Le jeune homme s'écrie : « Ah ! que ne suis-je le sceau qu'elle porte au doigt ! » »[1]. L'hébreu *ḥtm* « sceau » est précisément un emprunt à l'égyptien (le mot est attesté dès les textes des Pyramides). Son équivalent *ṭbʿt* correspond aussi à l'égyptien *dbʿ.t*. Mais le texte du Cantique rappelle aussi plusieurs textes bibliques, de façon très remarquable.

A. Robert avait déjà rapproché le v. 6 de plusieurs textes deutéronomiques[2]. Mais il n'avait pas remarqué le contact étroit avec le dernier verset du livre d'Aggée (2 : 23) : «Je ferai de toi, dit Dieu à Zorobabel, comme un sceau (ou : anneau à cacheter). Car c'est toi que j'ai choisi»[3]. C'est la même comparaison que dans le Cantique, avec un vocabulaire identique. Le verbe *śym* est suivi du même complément précédé de la même préposition « comme ». On portait le sceau au cou (Gen. 38 : 18) ou à la main droite (Jér. 22 : 24) ; il servait à authentiquer les documents (1 Rois 21 : 8) en tant que signe de propriété. Or Dieu avait déclaré à l'adresse du roi Joiaqin : «Par ma vie, quand bien même Konias, fils de Joiaqim, roi de Juda, serait un sceau attaché à ma main droite, je l'en détacherai» (Jér. 22 : 24). Cet oracle se trouve désormais annulé, dans les mêmes termes, par l'oracle adressé par Aggée à Zorobabel, fils de Shaltiel, fils aîné de Joiaqin et descendant de David et de Salomon. Dans Zach. 3 : 8 (cf. 6 : 12), Dieu appelle Zorobabel « mon serviteur Germe », désignation messianique qui reprend Jér. 23 : 5 et 33 : 15 (cf. déjà Is. 11 : 1-2). C'est en effet le davidide Zorobabel qui doit reconstruire le Temple (Esdras 5 : 2 ss) ; revêtu de majesté, il siégera sur son trône pour dominer (Zach. 6 : 13). Malheureusement, le prince sur lequel se portaient tous les espoirs des rapatriés en 515 devait disparaître sans bruit, mis à mort ou simplement déposé par l'autorité perse. On a déjà dit plus haut (p. 52) que les deux descriptions de la recherche du chéri dans le 3e et dans le 6e poème du Cantique pouvaient évoquer ce triste épisode.

H. Cazelles[4] a rapproché de 8 : 5 Is. 66 : 7 où la mère Sion donne naissance à un enfant mâle, le nouvel Israël. D'autres contacts entre ces deux textes doivent être aussi signalés ; ils sont en effet trop nombreux pour être un effet du hasard.

[7] Avant d'être en travail, elle a enfanté *(yldh)*, avant que viennent les douleurs *(ḥbl)*, elle a accouché d'un garçon. [8] Qui *(my)* a jamais entendu cela ? ... A peine était-elle en travail que *Sion* a enfanté *(yldh)* ses fils... [10] Réjouissez-vous avec *Jérusalem*, exultez avec elle, vous tous qui l'aimez *('hbyh)*... [11] afin que vous soyez allaités *(tynqw)* et rassasiés par son sein *(mšd)* consolateur... [12] ... Voici que je fais couler vers elle la paix *(šlwm* ; cf. Cant. 8 : 10) comme un fleuve *(knhr)*, et comme un torrent débordant *(šwṭf* « submergeant ») la gloire des nations. Vous serez allaités *(wynqtm)*... [13] Comme un homme que sa mère *('mw)* console... [14] A cette vue, votre cœur *(lbkm)* sera dans la joie... [15] Voici que YHWH vient dans le feu *(b'š)* ... pour assouvir ... sa menace par des flammes de feu *(blhby'š)*.

Notons au passage (v. 10) les deux verbes «réjouissez-vous, exultez» qui se trouvent aussi dans le prologue du Cantique (1 : 4). Quant à Is. 66 : 6, il débute par *qol* «une voix», comme Cant. 2 : 8 et 5 : 2[5].

A. Robert avait signalé les contacts entre Cant. 8 : 7 et Is. 43 : 2 : «Si tu traverses les eaux *(mym)*, je serai avec toi et les fleuves ne te submergeront pas *(yštfwk)* ; si tu passe par le feu *('š)*, tu ne souffriras pas et la flamme *(lhbh)* ne te brûleras pas ». Mais le contexte est différent de part et d'autre. On sait aussi que la troisième partie d'Isaïe (56-66) reprend souvent des expressions de la deuxième partie (40-55)[6]. Tous ces passages sont d'ailleurs postérieurs à l'exil de Babylone et peu antérieurs à l'époque de composition définitive du Cantique des Cantiques. Il en est de même pour Prov. 6 : 27-28 où l'amour est aussi comparé à un feu, comme dans Ben Sira 9 : 8. Prov. 6 : 31b «il donnera tout l'avoir de sa maison» correspond à Cant. 8 : 7 fin, dont le ton didactique a été maintes fois souligné[7]. A. Robert y voyait une addition sapientielle qui ne peut s'appliquer à l'amour de YHWH envers son épouse, la Fille de Sion. Il pensait en effet que c'était le jeune homme qui prononçait ces paroles[8]. Mais il en va autrement si c'est la jeune fille qui s'adresse ici à son chéri, comme nous le pensons. Rien n'empêche que cette réflexion soit la fin de son discours. Le dernier verbe «on le méprise» forme une sorte d'inclusion avec la fin du verset 2 «sans que les gens me méprisent». C'est toujours la jeune fille qui a la parole.

Dans Cant. 8 : 6, l'expression «flammes de Yah» évoque la foudre qui est le feu de YHWH (1 Rois 18 : 38 ; 2 Rois 1 : 12 ; Job 1 : 16). Même si on ne voit là qu'une nuance superlative (cf. Jér. 2 : 31) en traduisant avec D. Lys «un sacré coup de foudre »[9], le parallélisme entre «amour» et «jalousie» nous renvoie au groupe de textes qui parlent du Dieu «jaloux» dans le langage de l'Alliance[10]. YHWH aime Israël comme un époux, d'un amour éternel (Jér. 31 : 3). La finale du Cantique nous oriente ainsi vers le thème biblique traditionnel de l'allégorie nuptiale, si souvent développé par les prophètes, d'Osée à Ezéchiel, et par la fin du livre d'Isaïe. Déjà, la répétition de l'adverbe *šammah* «là» dans 7 : 13 et 8 : 5 pourrait évoquer le nom de Jérusalem (voir p. 34), sans parler d'Ez. 23 : 3 où figure la même répétition au début de l'histoire symbolique de Jérusalem et de Samarie[11].

A propos des «grandes eaux», du Shéol et de la foudre, on s'est plu à citer un certain nombre de textes cananéens, mésopotamiens, égyptiens, sur le chaos mythique, les divinités infernales, le grand dieu du tonnerre, le combat de Mot et de Baʿal à Ugarit (Râs Shamra), etc. Mais il faut reconnaître que tout cela se trouve « démythisé » dans le Cantique[12]. L'expression « grandes eaux » est courante dans la Bible, surtout dans les écrits postexiliques; elles peuvent signifier symboliquement l'invasion ennemie ou les menaces mortelles. Dans Cant. 8 : 7, il s'agit apparemment de toutes les épreuves et attaques imaginables qui peuvent survenir et s'abattre sur deux êtres qui s'aiment d'un amour fidèle, se voulant éternel et source de vie.

Dans les chants d'amour égyptiens, les deux amants s'appellent frère et sœur. Dans le Cantique, la jeune fille évite d'appeler « frère » son chéri; mais elle souhaite être en mesure de le dire : « Ah! que ne m'es-tu un frère! » (8 : 1). Par contre, le jeune homme ne se fait pas faute de parler de sa « sœur », comme on l'a vu plus haut (p. 42). Cette anomalie se comprend facilement si le poète pense ici au personnage transcendant que sera le nouveau Salomon. On peut aussi remarquer que la jeune fille parle avec insistance de la mère de son chéri (8 : 5) après avoir parlé de sa propre mère (8 : 1-2). Comme nous y invite déjà 3 : 11 qui parle de la mère de Salomon, il n'est pas interdit de penser encore ici à la mère de Salomon, Bethsabée (2 Sam. 12 : 24-25), qui contribua efficacement à l'accession au trône de son fils Salomon (1 Rois 1 : 11-21).

En résumé, l'épilogue du Cantique associe au lyrisme amoureux le langage didactique et certains thèmes de la littérature prophétique. L'ensemble 8 : 1-7 se présente comme un bloc littéraire en deux parties, séparées par le refrain et prononcées entièrement par la jeune fille. Outre les correspondances verbales déjà signalées entre ces parties, il convient d'insister sur la reprise du mot essentiel « amour », déjà dans le refrain du v. 4 et répété trois fois de suite aux versets 6-7. Voilà bien le thème central du Cantique. *L'épilogue rejoint ainsi le prologue* où les deux strophes initiales (1 : 2-3 et 4) finissaient l'une et l'autre par le même verbe « aimer ».

Pour un esprit soucieux de logique abstraite, de tels procédés sont déconcertants. Images et symboles se succèdent et se compénètrent en fonction de l'inspiration poétique, mais aussi avec à l'arrière-plan le trésor littéraire des sages et des prophètes d'Israël. Ce qui autorise le lecteur moderne à interpréter ces versets de façon polyvalente, selon un *double entendre*[13], à la lumière des autres livres bibliques parmi lesquels le Cantique occupe une place irremplaçable.

NOTES

1. Cf. ROBERT-TOURNAY, p. 349; J.B. WHITE, *op. cit.*, pp. 147-148 (note 48). On trouve des souhaits analogues dans le papyrus Chester Beatty (cf. J.B. WHITE, *op. cit.*, pp. 181-182). Voir aussi S. SCHOTT, *Wörter für Rollsiegel und Ring*, dans *WZKM*, t. 54 (1957), pp. 117-185. Il est possible qu'il y ait un jeu de mot entre ḥtm « sceau » et ḥtn « fiancé ». Pour ce chapitre V, voir R.J. TOURNAY, *The Song of Songs and its Concluding Section*, dans *Immanuel* 10 (1980), Jérusalem, pp. 5-13.

2. Il cite Deut., 6 : 6-8; 11 : 18; Ex. 13 : 9; Jér. 31 : 33; Prov. 3 : 3 (*op. cit.*, pp. 299-300).

3. Le même verbe « choisir » est appliqué à Salomon par le Chroniste (1 Chron. 28 : 5, 10; 29 : 1).

4. Dans le compte rendu de ROBERT-TOURNAY, *Le Cantique des Cantiques*, publié dans *Bulletin du Comité des Études de la Compagnie de Saint-Sulpice*, n° 42-43, avr. sept. 1963, p. 214.

5. Noter le verbe *'ng* au v. 11, et le dérivé *t'ngym* dans Cant. 7 : 7.

6. Cf. J. VERMEYLEN, *Du prophète Isaïe à l'apocalyptique*, II, 1978, p. 495.

7. A.-M. DUBARLE a déjà relevé ces contacts littéraires et thématiques dans son article, *L'amour humain dans le Cantique des Cantiques*, RB 61 (1954), p. 80; ID, *Le Cantique des Cantiques dans l'exégèse récente*, dans *Aux grands carrefours de la révélation et de l'exégèse de l'A. T.*, Recherches bibliques 8 (1966), Desclée de Brouwer, pp. 147-148. — Sur le v. 7, cf. N.J. TROMP, *Wisdom and the Canticle, Ct. 8 : 6c-7b. Text, Character, Message and Impact*, dans *La Sagesse dans l'A. T.*, éd. M. Gilbert (Bibl. Eph. Theol. 51), 1979, pp. 88-95. Voir déjà A.R. JOHNSON, *Mashal*, dans *Wisdom in Israel and the Ancient Near East, Festschrift H.H. Rowley*, Suppl. *VT* 3 (1955), pp. 162-169. Voir aussi M. SADGROUX, *The Song of Songs as Wisdom Literature*, dans *Studia Biblica* I (6e Intern. Congress of Biblical Studies, Oxford, 3-7 avril 1978), Sheffield, 1979, pp. 245-248.

8. *Op. cit.*, p. 304.

9. LYS, pp. 289, 292.

10. Cf. B. RENAUD, *Je suis un Dieu jaloux* (Lectio divina 36), Paris, 1963; cf. *RB* 71 (1964), pp. 119-120. Citons par exemple Zach. 1 : 14; 8 : 2; Joël 2 : 18.

11. L'auteur de Cant. 6 : 14 évite de parler de Samarie et nomme à sa place Tirça (1 Rois 15 : 21 ss) à cause de la signification de ce nom, « plaisance » (Septante *eudokia*). Cf. Is. 62 : 4, 12; Nomb. 26 : 33.

12. Cf. H.-P. MÜLLER, *Die lyrische Reproduktion des Mythischen im Hohenlied*, ZTK 73 (1976), pp. 23-41.

13. Dans sa critique du commentaire de POPE, J.M. SASSON (*On M.H. Pope's Song of Songs*, dans *Maarav* 1/2, 1978-79, pp. 177-196) admet les *double-entendre* (p. 182) et se réfère (p. 185) à l'exégèse de Ibn Ezra (cité par POPE, p. 103).

CHAPITRE VI

LES MONTS DE BETER
ET LE MONT MORIYYA

Le deuxième poème du Cantique des Cantiques (2 : 8-17) se présente, comme le troisième (3 : 1-5), sous la forme d'un discours de la jeune fille. Celle-ci rapporte aux versets 10 à 15 les paroles de son chéri. Tous les commentateurs se sont heurtés aux difficiles versets 15 et 17 et ont cherché à en donner une interprétation cohérente. C'est le dernier mot, *beter*, qui constitue la principale difficulté. Efforçons-nous de le comprendre[1].

Ceux qui ne voient ici qu'un simple chant d'amour suggèrent une explication symbolique. Les «monts de Beter» sont les deux seins de la jeune fille. On en rapproche le dernier verset du Cantique : « Fuis, mon chéri, et sois comparable à la gazelle ou au jeune faon, sur *les monts des aromates* » (8 : 14). Ce verset reprend 2 : 17 avec des variantes; *beter* aurait pour équivalent *bosem* «aromate», terme fréquent dans le Cantique[2]. Mais pourquoi aurait-on employé dans le premier passage un terme si obscur ? S. Jérôme y voit un nom géographique et transcrit *montes Bether*; plusieurs exégètes, comme F.-M. Abel, en font un toponyme, peut-être Bettir à onze kilomètres à l'ouest de Jérusalem[3]; d'autres localisations ont été proposées. Mais le Cantique contient plusieurs noms géographiques bien connus. Pourquoi aurait-on mentionné ici des montagnes non identifiables ? On a même pensé au malabastran ou bétel, sorte de poivrier indien (le *pilpel hodu* en hébreu moderne).

L'explication la meilleure se trouve dans les écrits rabbiniques. Ceux-ci rapprochent Cant. 2 : 17 du récit de la Genèse (15 : 10 ss) qui décrit la conclusion du « pacte entre les morceaux », entre YHWH et Abraham. Ce rite spécial d'alliance est encore mentionné dans Jér. 34 : 18 : «Je livre les hommes qui ont manqué aux engagements que je leur ai fait prendre, qui n'ont pas honoré les termes de l'engagement qu'ils avaient décidé d'accepter devant moi, en coupant en deux un taurillon et en passant *entre les morceaux*». Les contractants appelaient ainsi sur eux le sort fait aux victimes au cas où ils transgresseraient leurs engagements[4]. L'hébreu *beter* «morceau coupé» dérive du verbe *btr* «partager»; ce substantif fait un jeu de mot avec *berit* «alliance», d'autant que ces deux mots sont employés côte-à-côte dans les mêmes textes : «Ce jour-là, YHWH conclut une alliance avec Abram» (Gen. 15 : 18). Toute alliance n'est-elle pas d'ailleurs un partage d'amour ou d'amitié ? Après Prov. 2 : 17, Mal. 2 : 14 applique au mariage le mot *berit*.

La formule classique de l'Alliance : «Vous serez mon peuple et je serai votre Dieu»[5] a été rapprochée de la formule d'appartenance au Cantique : «Mon chéri est à moi, et moi à lui» (2 : 16; 6 : 3 avec les termes renversés; en partie 7 : 11). Dans Deut. 26 : 17-18; Os. 2 : 25; Jér. 7 : 23 et 31 : 33, c'est Dieu qui est d'abord nommé; ailleurs, c'est le peuple d'Israël. Il est possible que l'ordre choisi suggère à qui revient l'initiative de l'union. Dans Deut. 26 : 17-18, Dieu prend les devants pour conclure le pacte d'alliance; dans Os. 2 : 25, il rétablit les relations par miséricorde après le repentir de l'épouse; Jér. 31 : 33 le montre créant l'alliance nouvelle. Dans le Cantique, 6 : 3 et 7 : 1 nomment d'abord la jeune fille; mais la première fois, dans 2 : 16, c'est le «chéri» qui vient en tête, car il vient d'achever son exhortation; il a pris l'initiative, comme Dieu vis-à-vis d'Abram lors du pacte entre les morceaux. La tradition juive nous invite à approfondir ces contacts entre le Cantique et le récit de l'Alliance entre Dieu et Abraham.

Citons quelques extraits des targums. Le targum sur le Cantique 2 : 11-12 et 17 fait le rapprochement avec Gen. 15 et y ajoute Gen. 21, le récit du sacrifice d'Isaac, l'Aqéda : «Les années prédites à Abraham, *entre les morceaux* sont expirées; le temps de la rédemption annoncé à Abraham votre père (est arrivé)» ... «Il se souvient de l'alliance qu'il avait juré avec Abraham, Isaac et Jacob ... et de l'oblation qu'avait faite Abraham d'Isaac son fils sur le mont Moriyya; mais avant cela, il avait offert là ses offrandes après les avoir *divisées en parties* égales»[6]. Les monts de *beter* sont ici identifiés au mont Moriyya; celui-ci n'est autre, selon 2 Chron. 3 : 1, que la colline du Temple de Jérusalem. C'est là que la tradition rabbinique et après elle, la tradition musulmane, situent le sacrifice d'Isaac. Le targum identifie aussi au Moriyya la montagne de la myrrhe et la colline de l'encens, mentionnées dans Cant. 4 : 6 (cf. déjà 3 : 6) : « (Israël passa le Jourdain grâce) au mérite d'Abraham qui a prié et rendu un culte devant YHWH sur le mont Moriyya... et à la justice d'Isaac qui fut lié sur l'emplacement du Temple, appelé la montagne de l'encens »[7]. En plus du jeu de mot déjà signalé entre *beter* et *berit*, on a ici un nouveau jeu de mot entre *mor* «myrrhe» et le nom propre Moriyya[8]. De tels procédés sont habituels dans la littérature des *midrashim* et de la *haggada*; il ne s'agit pas ici de simples jeux de l'esprit, mais d'un procédé herméneutique traditionnel, en particulier vis-à-vis de l'étymologie des noms propres.

Les targums associent le sacrifice d'Isaac, ou Aqéda, avec la Pâque et le pacte entre les morceaux. Ceci pourrait expliquer pourquoi le rouleau du Cantique fut très tôt récité par les Juifs lors du *seder* pascal, sans parler d'autres raisons, comme l'allusion qu'on a cru voir à la sortie d'Egypte dans 1 : 9, ou à la description du printemps dans 2 : 11 ss.

Citons encore quelques textes empruntés à divers targums :

Targum sur Ex. 12 : 42, passage intitulé par R. Le Déaut « le poème des quatre nuits » : «La deuxième nuit eut lieu quand le Memra (la Parole) du Seigneur se manifesta à Abraham entre les morceaux »[9].

Targum palestinien : «Je me souviendrai de l'alliance que j'ai contractée avec Isaac sur le mont Moriyya et de l'alliance avec Abraham entre les morceaux »[10].

Targum de Michée 7 : 20 : «Tu accorderas ta miséricorde à Abraham et à sa race après lui comme tu l'as juré entre les morceaux; tu te souviendras en notre faveur de l'Aqéda d'Isaac qui a été lié sur l'autel devant toi »[11].

Targum d'Ezéchiel, 16 : 3 : «Là (sur la terre de Canaan) je me suis révélé à Abraham votre père entre les morceaux et je lui ai fait savoir que vous descendriez en Égypte... Dans le sang de la circoncision, j'aurai pitié de vous; dans le sang de la Pâque je vous rachèterai »[12].

La tradition reflétée par tous ces textes peut remonter très haut. Il est permis de se demander s'il n'est pas possible d'en retrouver un premier écho, au moins indirect, dans Cant. 2 : 17 et 4 : 6 : «Avant que le jour ne souffle et que les ombres ne fuient...». Les montagnes de «partage» *(beter)* correspondent alors à la montagne de la myrrhe et à la colline de l'encens (ou de l'oliban). C'est la nuit, quand le soleil fut couché et dans l'obscurité qu'un four fumant et un brandon de feu passèrent *entre les morceaux*. Précisément, Cant. 2 : 17 parle des ombres et de la nuit. Il est vrai qu'on a interprété la fuite des ombres comme s'il s'agissait du crépuscule, quand s'allongent sur le sol les ombres et que le vent devient plus fort. Mais on peut aussi penser au petit matin et à la brise matinale. C'est aussitôt après (3 : 1) qu'on situe pendant la nuit la recherche du jeune homme. Assurément tout ce passage pouvait évoquer la nuit pascale, car l'immolation de l'agneau devait avoir lieu entre les deux soirs[13].

Le deuxième poème du Cantique peut aussi faire allusion à d'autres épisodes de l'histoire d'Abraham. Citons d'abord l'expression *leki-lak* (2 : 10 et 13) qu'on traduit généralement « viens », comme *leka* dans 7 : 12, en raison du contexte. Mais la construction est différente. Au verset suivant (v. 11), on a la même construction : même verbe *hlk*, avec la préposition *lamed* et le suffixe ; on traduit sans difficulté : « la pluie s'en est allée ». Ainsi *leki-lak* doit plutôt signifier « va-t'en de là pour aller vers moi, pars me rejoindre ». La même expression dans ces deux versets doit être comprise de la même façon. On a d'autres verbes pour « venir » (*bo'*; ou *'th* comme dans 4 : 8). Faute de mieux, *leki-lak* est traduit ici par « viens-t'en ».

Or, l'impératif singulier du verbe *hlk* « aller »[14] suivi du *lamed* et d'un suffixe pronominal se rencontre ailleurs que dans deux textes de l'histoire du patriarche Abraham : 1) Gen. 12 : 1 : « *Va-t'en* de ton pays, de ta famille, de la maison de ton père, vers le pays que je te montrerai ». Ce sont là les premières paroles que Dieu adresse au Père des croyants, à l'aube de l'histoire du salut.— 2) Gen. 22 : 2 : « Prends ton fils, ton unique, Isaac, que tu aimes ; *va-t'en* vers le pays de Moriyya... ». C'est le début du récit du sacrifice d'Isaac, appelé *Aqéda* (mot dérivé du verbe *'qd* « lier ») dans les écrits rabbiniques.

Le premier appel au départ est la toute première rencontre entre Dieu et Abraham ; elle sera conclue par une alliance. Lors du second appel au départ, Dieu demande à Abraham ce qu'il a de plus cher pour réaliser le mystérieux plan de son Amour. Et ce sont là les deux parallèles à Cant. 2 : 10 et 13 où nous retrouvons l'allusion au Mont Moriyya. On peut aussi noter la double répétition du mot « ton pays », « le pays » dans Gen. 12 : 1 comme dans Cant. 2 : 12, « dans le pays », « dans notre pays ». De même l'emploi des deux verbes « se lever » et « s'en aller » dans Gen. 22 : 3 et Cant. 2 : 10 et 13.

On peut encore se demander si Cant. 2 : 10 et 13-14 ne font pas une discrète allusion à la belle Sara, l'épouse d'Abraham. Abraham dit à Sara qu'elle a une belle apparence (*yefat mar'eh*, Gen. 12 : 11) ; les Égyptiens reconnaissent qu'elle est très belle (*yafah me'od* ; *ibid*. 14). Or ces mots sont appliqués par le jeune homme à sa bien-aimée dans Cant. 2 : 10 et 13. Au v. 14, il ajoute : « Charmant est ton visage » (*mar'eh*). La beauté de Sara était devenue proverbiale ; les écrits rabbiniques, le Talmud et les Midrashim y font allusion. L'épouse de Tobie, Sara, est décrite comme une jeune fille réfléchie, courageuse, avec beaucoup de charme (Tob. 6 : 12). C'est surtout dans l'apocryphe araméen de la Genèse, découvert à Qumrân, que la beauté de Sara suscite une longue description où l'on se contente d'énumérer les parties du corps en allant du haut vers le bas, comme dans Cant. 4 : 1 ss[15] :

> « [2] (...) Combien splendide et beau est l'aspect de son visage, et combien [3] (...) et combien est fine la chevelure de sa tête, combien ravissants sont ses yeux, qu'il est attrayant, son nez, tout l'éclat [4] de son visage (...) ! Combien ravissante est sa poitrine et comme est belle toute sa blancheur ! Ses bras, comme ils sont beaux, et ses mains, combien [5] parfaites ! Et comme est gracieux tout l'aspect de ses paumes, qu'ils sont fins et mignons tous les doigts de ses mains ! Ses pieds [6], comme ils sont beaux ! Combien parfaites sont ses jambes !
>
> Aucune vierge ni fiancée qui accède à la chambre nuptiale n'est plus belle qu'elle. Et par-dessus toutes [7] les femmes elle est belle, et sa beauté les dépasse toutes. Avec toute cette beauté, il y a en elle une grande sagesse. Tout l'ouvrage de ses mains [8] est merveilleux. »

Revenons au chapitre 15 de la Genèse. La fin du chapitre énumère les habitants de Canaan qui seront dépossédés par la descendance d'Abraham : dix noms de peuples préisraélites dont la liste se retrouve avec des variantes en de nombreux textes[16]. P. Joüon et G. Ricciotti avaient déjà proposé d'identifier les « petits renards » de Cant. 2 : 15 qui ravagent les vignes aux peuplades cananéennes et aux voisins d'Israël, la Vigne de YHWH[17]. A. Robert[18] a repris cette interprétation qu'on aurait tort de rejeter à la légère. Profitant de la chute de Jérusalem en 587 et de la faiblesse des Judéens, les méchants voisins d'Israël sont venus piller et saccager le pays. Comme le dit le livre des Lamentations 5 : 18 : « La montagne de Sion est désolée : des chacals y rôdent ». Ajoutons Néhémie 3 : 35 qui cite un propos méprisant de Tobiyya l'Ammonite à l'adresse de Sanballat lors de la reconstruction du rempart de Jérusalem : « Pour ce qu'ils construisent, si un chacal y montait, il démolirait leur muraille de pierres ».

Dans Cant. 2 : 15, le pluriel du texte reçu « nos vignes » pourrait être dû à une harmonisation avec le pluriel « les vignes » qui précède. En effet, beaucoup de manuscrits massorétiques et la Vulgate ont ici le singulier « notre vigne », ce qui correspond à 1 : 6 « ma vigne à moi » ou 2 : 12 « notre terre », ou encore 8 : 11-12 « une vigne, ma vigne ». Le rapprochement s'impose alors avec le Ps. 80 : 9 où le psalmiste décrit comment le sanglier des forêts et la bête des champs dévorent la Vigne Israël. On retrouve jusque dans le livre d'Hénoch (89 : 54 ss) le thème du troupeau d'Israël dévoré par les bêtes sauvages, les Assyriens, les Babyloniens, les Égyptiens. Ces développements allégoriques sont traditionnels[19].

Bien entendu, le thème des renards ravageurs de vignes appartient à la littérature mondiale. On connaît la fable de La Fontaine, *Le renard et les raisins*. Sur une mosaïque de Khirbet Meḥayet[20], près du mont Nébo, la troisième rangée de figures représente un homme d'âge mûr revêtu d'une tunique courte sans manches et serrée à la taille par une corde, les pieds chaussés de sandales à lanières, une hotte remplie de raisins retenue sur le dos par une courroie qu'il tient à deux mains, et se hâtant tandis qu'un renard détale devant lui.

Cependant, tout lecteur juif du Cantique des Cantiques devait faire le rapprochement avec tant de textes évoquant la vigne d'Israël et les dommages qu'elle a subis au cours de son histoire.

Comme celle de la vigne, l'image de la colombe est souvent une désignation symbolique d'Israël. Cant. 2 : 14 et les autres mentions de la colombe pour désigner la jeune fille (1 : 15 ; 4 : 1 ; 5 : 2 et 12 ; 6 : 9) doivent évoquer d'autres textes bibliques où l'on trouve le même symbole. Osée 7 : 11 compare Israël à une naïve colombe. Les psalmistes (Ps. 68 : 14, 74 : 19) emploient aussi cette comparaison ; de même un passage postexilique, Os. 11 : 11, à propos du retour de l'Exil : « Depuis le pays d'Assour, ils accourront comme des colombes ». Texte à rapprocher d'Is. 60 : 8 : « Ils volent ... comme des colombes vers leurs colombiers ». Cette image de la colombe revient dans le quatrième livre d'Esdras 5 : 26 et n'est pas rare dans les écrits rabbiniques[21]. Par ailleurs, la comparaison de l'oiseau sert dans Jér. 12 : 9 à évoquer les incursions des Moabites, Ammonites, Edomites en Palestine après 587 ; le verset 10 ajoute : « Des pasteurs en grand nombre ont saccagé ma vigne, piétiné mon domaine, réduit mon domaine préféré en solitude désertique ». C'est l'imagerie déjà mentionnée.

*

* *

Il est ainsi permis de dépasser le sens obvie des mots, dans ce deuxième poème, et de les interpréter à la lumière d'autres textes concernant l'histoire d'Abraham ou la catastrophe de 587. Certains indices obligent d'ailleurs à y discerner des ambiguïtés. Ainsi le mot *zamir* (2 : 12) peut avoir plusieurs sens : la taille de la vigne (cf. Is. 5 : 6 ; Lév. 25 : 3), ou le chant de la tourterelle. Malgré de savantes études, il est difficile de choisir entre ces deux sens, car ils conviennent tous les deux au contexte[22]. La description se rapporte en effet au printemps en Palestine et non à l'automne. Les pluies cessent ordinairement vers le mois d'avril, en ce pays, et c'est le moment de la floraison[23] pour les vignes.

L'expression « celui qui paît parmi les lis » (2 : 16 et aussi 6 : 3) est aussi ambigüe. La version de la Septante a traduit : « Il fait paître le troupeau (cf. 1 : 7). Mais la Vulgate a compris : « Il se repaît parmi les lis » (cf. 4 : 5). Ce second sens pourrait avoir une implication érotique ; le jeune homme jouirait des charmes de sa bien-aimée comparée ailleurs à un lis (2 : 2), à un jardin clos et embaumé (4 : 14 ; 5 : 1 ; cf. 6 : 2). M.H. Pope reconnaît une telle ambiguïté[24]. Mais l'expression « paître parmi les lis » peut faire simplement allusion à la cueillette des lotus, mentionnée dans 6 : 2 et parfois représentée sur les bas-reliefs de l'ancienne Égypte. A Deir el-Gebrawi, les hommes pataugent dans une eau profonde et arrachent de magnifiques tiges de lotus en se servant d'une seule main. Un personnage offre au maître d'une barque une superbe fleur de lotus[25]. Nous verrons plus loin (p. 88) que l'expression ici discutée peut être une allusion au personnage de David, le pasteur, ancêtre du Messie.

Un exemple frappant de l'application aux Patriarches d'un passage du Cantique, aux environs de l'ère chrétienne, est la citation de Cant. 4 : 13 dans la « Vie d'Adam et d'Ève », 43 : 3[26], selon l'ordre même des parfums : nard, crocus, calame, cinnamome, à propos d'Ève et de son fils Seth. On situe généralement cet apocryphe hébreu, connu par des traductions, entre 20 et 70 après J.-C., car il semble faire allusion à la construction du Temple par Hérode le Grand[27]. On aurait là le plus ancien témoignage de l'utilisation du Cantique par le monde juif pour illustrer la vie des ancêtres d'Israël.

Ajoutons que le passage du quatrième livre d'Esras, cité plus haut, a aussi été rapproché du Cantique des Cantiques. Avant l'image de la colombe, il contient aussi les images de la vigne et du lis. A. Feuillet, après R.H. Charles, pense que ce texte s'inspire nettement du Cantique ; on aurait là une attestation précieuse de l'interprétation allégorique au Cantique, presque contemporaine du Nouveau Testament, dès la fin du Ier siècle[28].

*

*   *

NOTES

1. Voir déjà R. TOURNAY, *Abraham et le Cantique des Cantiques*, *VT* 25 (1975), pp. 544-552.

2. Cf. 4 : 10, 14, 16 ; 5 : 1, 13 ; 6 : 2.

3. F.-M. ABEL, *Géographie de la Palestine*, II, p. 271 ; POPE, p. 410. Cf. Jos. 15 : 59 et 1 Chron. 6 : 44 dans LXX ms. A.

4. Sur ce rite, **cf.** A. de PURY, *Promesse divine et légende cultuelle dans le cycle de Jacob* (Études Bibliques), I, 1975, pp. 313 ss. Selon E.J. BICKERMANN, le souffle vital des victimes se communiquerait à celui qui passe entre elles, rendant ainsi plus forte et plus contraignante sa promesse (*Couper une alliance*, dans *Studies in Jewish and Christian History, Arbeiten zur Geschichte des antiken Judentums und des Christentums*, Band 9, Leiden, Brill, 1976, pp. 1-32). P. Amiet rapproche de ce rite une scène gravée par un artiste élamite : « Deux serpents encadrent une sorte d'habitacle portatif qui abrite une femme et placé entre les deux moitiés d'un taureau coupé en deux » (*Rois et dieux d'Elam d'après les cachets et les sceaux-cylindres de Suse*, dans *Archaeologia* 36, sept.-oct. 1970, p. 24 et fig. 5).

5. Cf. A. FEUILLET, *La formule d'appartenance mutuelle (Cant. II, 16)*, dans *RB* 68 (1961), pp. 5-38. Voir N. LOHFINK, *Deut. 26, 17-19 und die Bundesformel*, dans *ZKTh*, 91 (1959), pp. 517-553 (cf. Ex. 6 : 7 ; Lév. 26 : 12 ; etc.). Comparer 2 Chr. 15 : 2 : « YHWH est avec vous quand vous êtes avec lui ».

6. Cf. R. LE DÉAUT, *La nuit pascale* (Analecta Biblica 22), Rome, 1963, pp. 144 et 175. Il mentionne le rapprochement avec Cant. 2 : 7 aux pages 107 et 136 et il cite A. FEUILLET, *RB* 68 (1961), pp. 30-31. Voir ROBERT-TOURNAY, p. 128. Sh. YEIVIN a proposé une étymologie hourrite pour le nom Moriyya dans *Tarbiz* 40 (1970), p. I (résumé en anglais).

7. Cf. R. LE DÉAUT, *op. cit.*, pp. 175-176 ; voir aussi pp. 110-111, 161 et 186.

8. Cf. Rolf Peter SCHMITZ, *Aqedot Jishaq. Die mittelalterliche jüdische Auslegungen von Genesis 22 in ihren Hauptlinien*, dans *Judaistiche Texte und Studien*, B. 4, 1979, Hildesheim – New York, pp. 43-44. Nahmanide cite 4 : 6 à propos du Moriyya. Voir ROBERT-TOURNAY, p. 168. Dans Soph. 3 : 1, il y aurait un jeu de mot analogue sur Jérusalem la rebelle, *moreah* (cf. L. SABOTKA, *Zephania*, Rome, 1972, p. 103).

9. Cf. R. LE DÉAUT, *op. cit.*, p. 135.

10. *Ibid.*, p. 174.

11. *Ibid.*, p. 176, note 116.

12. *Ibid.*, p. 144.

13. *Ibid.*, p. 143 et note 24. – J. SMIT SIBINGA a rapproché 2 Petri 1 : 19 de Cant. 7 : 17 (*Une citation du Cantique dans la Secunda Petri*, *RB* 73, 1966, pp. 107-119).

14. On a le pluriel dans Jos. 22 : 4 : « Allez-vous-en ». On discute sur l'usage du *lamed* après un verbe ; cf. T. MURAOKA, *On the called Dativus ethicus in Hebrew*, *JTS* 29

(1978), pp. 495-498. Il s'agirait d'un datif réflexif ou centripète. JOÜON § 133 *d* parle de *dativus commodi* (cf. Cant. 2 : 10, 17). Le verbe *hlk* signifie « aller » dans Cant. 4 : 6 ; 6 : 1 ; 7 : 10, 12 : 1 Rois 1 : 13 ; Gen. 22 : 5, etc.).

15. ROBERT-TOURNAY, p. 388 ; J.A. FITZMYER, *The Genesis Apocryphon of Qumran Cave 1* (Biblica et Orientalia 18), Rome, 1966, pp. 54-55, 106-111 ; J.C. VANDER-KAM y voit un poème de neuf strophes (*The Poetry of 1QApGen, XX, 2-8a, RdQ* 37 (1979), pp. 57-66.

16. Ex. 3 : 8, 17 ; 13 : 5 ; 23 : 23 ; 33 : 2 ; Deut. 7 : 1 ; 20 : 17 ; Jos. 3 : 10 ; 9 : 1 ; 11 : 3 ; 12 : 8 ; 24 : 11 ; Jug. 3 : 5 ; 1 Rois 9 : 20 ; Esd. 9 : 1 ; Néh. 9 : 8 ; 2 Chron. 8 : 7.

17. Os. 10 : 1 ; Is. 5 : 1 ss ; Jér. 2 : 21 ; 5 : 10 ; 6 : 9 ; 12 : 10 ; Ez. 15 : 1 ss ; 17 : 6 ss ; 19 : 10 ss ; Ps. 80 : 9 ss ; Is. 27 : 2 ss ; Deut. 32 : 32 ; Ben Sira 24 : 17, etc. Thème repris dans le Nouveau Testament : Mt. 21 : 33 ss ; Jn 15 : 1 ss.

18. *Op. cit.*, p. 124. Autres emplois symboliques : Ez. 13 : 4 (les prophètes) ; Luc 13 : 32 (Hérode).

19. Cf. Os. 2 : 14 ; Jér. 5 : 17 ; 8 : 13 ; 12 : 9 ; Ez. 24 : 8, 25, etc. Voir A. FEUILLET, *RB* 68 (1961), pp. 27-28.

20. P. LEMAIRE, *Mosaïques et inscriptions d'el-Mehayet, RB* 43 (1934), p. 390 et planche XXIV, 2.

21. STRACK-BILLERBECK, *Kommentar zum Neuen Testament aus Talmud und Midrash,* I, München, 1922, pp. 123-124. Cf. R. TOURNAY, *Le psaume LXVIII et le livre des Juges, RB* 66 (1959), p. 383 ; *Les Psaumes (BdJ),* 3e éd., 1964, p. 291, note *f.* Il est possible que cette image de la colombe démythise celle de la colombe de la déesse Anat. E. LIPIŃSKI (*La colombe du Ps. LXVIII, 14, VT,* 23 (1973), pp. 365-368) propose une interprétation nouvelle en lisant *ml'kym* « les messagers » ; mais il ne faut pas corriger le texte reçu. A. FEUILLET voit dans la colombe du Baptême de Jésus une certaine référence au nouvel Israël (*Le Symbolisme de la colombe dans les récits évangéliques du Baptême, RSR* 46 (1958), pp. 524-544.)

22. Cf. POPE, p. 396 ; C. GORDON, *New Directions,* dans *Naphtali Lewis Festschrift, Bull. Amer. Soc. Papyr.* 15 (1978), p. 59 ; A. LEMAIRE, *Zamir dans la tablette de Gézer et le Cantique des Cantiques, VT* 25 (1975), pp. 15-26 ; il propose de traduire *zamir* par « vendange ».

23. L'hébreu *semadar* (Cant. 2 : 13.15 ; 7 : 13) correspond à l'araméen *samadra* ; il s'agit du bouton de fleur qui s'ouvre, d'après 7 : 13. Cf. Sh. AHITUV, *The Meaning of Semadar, Leshonenu* 39 (1974-75), pp. 37-40 ; W. von SODEN, *Akkadisches Handwörterbuch,* 1016 *b*.

24. *Op. cit.*, pp. 405-406. Sur le refrain, A. FEUILLET, *RB* 68 (1961), pp. 7-9 ; J. ANGÉNIEUX, *Structure du Cantique des Cantiques, ETL* 52 (1965), p. 116.

25. Voir pp. 42 et 88 ; J. VANDIER, *Manuel...,* V, 1969, pp. 453 ss.

26. Cf. Elio PIATELLI, *Vita Adae et Evae,* dans *Annuario di Studi Ebraici,* 1968-69, pp. 9-23 ; Ugo BIANCHI, *La rédemption dans les livres d'Adam, Numen* 18 (1971), pp. 1-8 ; LYS, p. 194.

27. « La nouvelle construction de la maison de Dieu, qui sera exaltée plus que par le passé » (29 : 6). Il est vrai qu'il pourrait s'agir seulement ici des temps messianiques.

28. A. FEUILLET, *Le symbolisme de la colombe...,* dans *RSR* 46 (1968), pp. 535-536 ; L. GRY, *Les dires prophétiques d'Esdras,* Paris, 1938, I, pp. 63-67.

CHAPITRE VII

LES CHARIOTS D'AMINADAB

Le verset 12 du chapitre 6 du Cantique des Cantiques est généralement considéré comme le plus obscur de tout le livret. On ne se
fait pas faute de l'éliminer comme une glose[1] ou bien de le juger
corrompu sans espoir. Ce sont là des solutions trop commodes. On
a supposé qu'un scribe aurait lui-même avoué son embarras en
écrivant au début : « je ne sais pas », c'est-à-dire « je ne comprends
pas »[2]. Il serait fastidieux de rappeler ici toutes les corrections
textuelles qui ont été proposées, car aucune d'elles ne s'est imposée.
Après Grätz, Zapletal et Galling, D. Lys pense à la racine *rkk* et lit
morek bat nadib. Il traduit ainsi : « Je ne connais pas mon propre
moi : il me rend timide, fille de nobles gens »[3]. On a aussi pensé à la
racine *brk* ; J.B. White propose *meboreket* « la bénie »[4]. M. Bogaert
lit *šamtani* et *ʿimmi* ; il traduit : « Je ne sais, mon âme, tu m'as fait
l'honneur de (tes) palanquins »[5]. Pour d'autres exégètes, le mot *nadib*
« prince » ferait allusion au prince Mehi, sorte de Don Juan des
chants d'amour égyptiens, en particulier dans le papyrus Harris 500.
Il en a déjà été question ci-dessus (p. 43) ; G. Gerleman pense à un
travesti littéraire (hypothèse souvent proposée) et à une imitation
du thème du prince Mehi qui chevauche sur un char[6]. On recourt de
toute façon à une paraphrase. Ainsi M.H. Pope : « Unaware I was
set in the chariot with the prince »[7]. Ou encore G.R. Driver : « She
made me feel more than a prince reigning over the myriads of his
people »[8].

La version grecque de la Septante traduit : « Mon âme ne savait
pas ; elle a fait de moi les chars d'Aminadab ». Rashi suit la ponctua-
tion de la Massore qui coupe aussi après le verbe « je ne savais pas » ;
il paraphrase ainsi : « Mon âme m'a fait être les chariots pour les

princes du reste des nations, pour une chevauchée». Il s'agirait alors de la soumission d'Israël à des étrangers.

Il convient d'analyser en détail tout ce verset. Le mot *nefeš* doit avoir ici le même sens que dans 1 : 7 et 3 : 1-4 où *nafši* signifie « mon désir », « mon cœur ». Le verbe *śym* se construit avec un double accusatif comme souvent ailleurs, en particulier dans les Psaumes[9]. Mais que veut dire à la fin de la phrase le mot composé *ammi-nadib* ? Il signifie littéralement « mon peuple noble » ou « généreux ». L'épithète *nadib* qualifie peu après (7 : 2) la jeune fille : *bat-nadib*, nommée aussi *šulammit* au v. 1 (deux fois) où le verbe « reviens » est répété quatre fois. Ces répétitions ne sont pas le fait du hasard. L'appel très pressant « reviens » lancé par le chœur (les filles de Jérusalem) à la jeune fille est aussitôt suivi d'une question assez énigmatique du jeune homme à ce même chœur : « Que contemplez-vous dans la Shulamite comme une danse des deux camps ? ». La réponse à cette question semble donnée aussitôt par le jeune homme lui-même qui entreprend l'éloge de sa bien-aimée, en la décrivant des pieds à la tête. Ce *waṣf* constitue l'essentiel du neuvième poème, et 7 : 1 en constitue l'introduction rhétorique. Mais comment relier cet ensemble à 6 : 11-12 ?

La solution me semble être l'évocation par le poète de l'événement capital qui marqua le début du règne de David, à savoir la translation de l'arche à Jérusalem[10]. Le nom même de *šulammit* évoque déjà — on l'a souvent noté — celui de la belle Abishag de Shunem, devenue la compagne de David à la fin de sa vie. Mais une autre allusion plus importante est celle que suggérait déjà D. Buzy : « Amminadab étant dans ce passage en relation avec un char sacré, n'est-ce pas une raison suffisante de les nommer ensemble dans le Cantique ? » ... « Parce que le char sacré portait l'arche, n'est-ce pas un motif pour que l'épouse se compare poétiquement au char transportant l'époux bien-aimé ? » Il traduit : « Mon amour a fait de moi le chariot d'Aminadab ». Cependant, c'est l'époux et non l'épouse qui, d'après D. Buzy, parle aux versets 11 et 12[11]. Au contraire, c'est l'épouse selon la Septante qui ajoute même à la fin du v. 11 la fin du v. 7 : « Là je te donnerai mes seins (hébreu : mes caresses) ». Effectivement, c'est bien la jeune fille qui reprend la fin de 6 : 11 dans 7 : 13 ; c'est donc elle qui parle dans 6 : 11 et aussi dans 6 : 12. Les verbes au parfait *yrdty* « j'étais descendue » et *ydʿty* « je connaissais » se correspondent et ont le même sujet, à savoir la jeune fille.

A. Touassi avait assez bien rendu le sens de ce passage quand il le paraphrasait ainsi : « Le désir de mon âme me fait considérer comme étant le char royal sur lequel siège mon divin époux »[12]. L'arche peut en effet être assimilée à un trône divin[13]. Quant aux récits de la translation de l'arche dans les livres de Samuel, 1 Sam. 6 : 7 et 2 Sam. 6 : 3, ils mentionnent chaque fois un chariot neuf ; il a fallu plusieurs chariots pour transporter l'arche[14], d'où le pluriel *markebôt* dans Cant. 6 : 12 qu'il faut donc traduire :

Je ne connaissais pas mon cœur :
il a fait de moi *les* chariots d'Ammi-nadab.

Dans Cant. 6 : 12, la leçon Ammi-nadab (sans yod) est attestée par vingt manuscrits, ainsi que par la Septante et la Vulgate. Dans les livres de Samuel, la Septante a la leçon Aminadab au lieu de l'hébreu Abinadab, à l'exception de 3 Rois 4 : 11 où le codex Alexandrinus lit Abinadab. Les deux noms peuvent se confondre facilement. Dans Nomb. 10 : 14, le codex Ambrosianus lit Abinadab au lieu de l'hébreu Amminadab. Un frère de David s'appelait Abinadab (1 Sam. 16 : 8 ; 17 : 13 ; 1 Chron. 2 : 13), tandis qu'un officier de David s'appelait Amminadab selon 1 Chron. 15 : 10-11[15]. Dans Esther 2 : 7, le grec ajoute le nom d'Aminadab, l'oncle de Mardochée. Notons aussi que dans Cant. 7 : 2, la Septante a transcrit *nadab* comme dans 6 : 12 au lieu de l'hébreu *nadib*.

Si *'ammi-nadib* de Cant. 6 : 12 peut évoquer l'histoire d'Abinadab chez qui l'arche demeura à Qiryat-Yéarim (1 Sam. 7 : 1), le mot *nadib*, repris dans Cant. 7 : 2 prend une grande signification à la lumière du livre des Chroniques. En effet, le Chroniste affectionne ce verbe *ndb* et ses dérivés, surtout la forme *hitpaël* « s'engager »[16], pour souligner le caractère noble, généreux, spontané, de l'engagement au service de YHWH dans le Temple de Jérusalem, séjour permanent de l'arche, lieu de la présence invisible de Dieu (la *shekinâ*) au milieu de son peuple Israël. En relisant 1 Chron. 29, la belle prière que prononce David, quelques lignes avant le récit de l'avènement de son fils Salomon, on est frappé par les nombreux contacts avec le Cantique des Cantiques.

Aux versets 5-6, les chefs du peuple *s'engagent* à donner de grands trésors au service de Dieu. Et le texte poursuit : « [9] Le peuple *('am)* se réjouit de ce qu'ils s'étaient *engagés*, car c'est d'un cœur *(leb)* sans partage *(šalem)*[17] qu'ils s'étaient *engagés* envers YHWH ; le roi David lui-même en conçut une grande joie ». Et dans sa bénédiction,

David s'écrie : « [14] Qui suis-je et qu'est-ce que mon peuple *('ammi)*
pour avoir les moyens suffisants de *nous engager* ainsi ? » Et il continue : « [17] Je sais *(yada'ti)*, mon Dieu, que tu sondes le cœur
(lebab) et que tu agrées *(tirṣeh)* la droiture ; pour moi, c'est d'un
cœur *(lebabi)* droit que *j'ai engagé* tout cela, et à cette heure j'ai
vu avec joie ton peuple *('ammeka)* ici présent *s'engager* avec toi.
[18] YHWH, Dieu d'Abraham, d'Isaac et d'Israël nos pères, garde à
jamais cela, formes-en les dispositions du cœur *(lebab)* de ton
peuple *('ammeka)* et oriente leur cœur *(lebabam)* ».

En plus des répétitions du verbe *ndb*, notons dans ce texte les
mots : « je sais », « mon peuple », et même « le cœur » synonyme de
nefeš dans Cant. 6 : 12. Les vocabulaires sont semblables et on
comprend mieux pourquoi le nom d'Abinadab aura été retouché
en Ammi-nadib. Tout en se référant à l'épisode fameux de la translation de l'arche, le poète avait en vue les sentiments de la Fille de
Sion se préparant à accueillir son « fiancé », le nouveau Salomon, le
Roi-Messie de Sion.

C'est dans la même intention que le poète modifie légèrement le
nom de la belle Abishag la « shunamite »[18] en forgeant le nom de
šulammit : David ne « connut » pas Abishag ; elle était réservée pour
un « roi » plus grand que lui, celui que Dieu a « choisi » comme fils
et pour qui il sera un « père » (1 Chron. 28 : 5-6, 10 ; 29 : 1), celui
qui s'assiéra sur le trône de la royauté de YHWH. Le Codex Vati-
canus transcrit *šulammit* : *soumaneitis* et *soumaneitidi*[19]. Le nom
même du village de Shunem est devenu Sulem aujourd'hui. C'est
le Beit Sulamiyé de Guérin ; Solem médiéval était un bénéfice du
mont Thabor. Ainsi les consonnes *l, m* et *n* peuvent facilement
permuter entre elles. La forme *šulammit*, participe passif, est
analogue à *'ukkal* (Ex. 3 : 2), *yullad* (Jug. 13 : 8)[20]. Elle signifie
« la pacifiée » comme l'ont bien compris Aquila et Quinta en traduisant *eireneuousa*. Ainsi ce nom *šulammit* correspond dans le
Cantique à celui de *šelomo*, Salomon ; tous deux dérivent de la
même racine *šlm*[21], être complet, intègre, achevé, d'où être en paix.
Ces deux noms correspondent au français Irénée et Irène. Selon
1 Sam. 7 : 1 et 14, il y eut la paix en Israël après la grande victoire
sur les Philistins et le transfert de l'arche dans la maison d'Abinadab.

Les noms dérivés du radical *šlm* sont très fréquents à l'époque
perse, après le retour de l'Exil[22]. Citons spécialement *mešullam*
« celui qui est restitué, ou réhabilité », nom attribué dans Is. 42 : 19
à l'Israël réconcilié ; le peuple pécheur et idolâtre a disparu et à sa

place apparaît le nouvel Israël, rétabli dans l'alliance de paix (Is. 53 : 5 ; 54 : 10). On donnait le nom de *Mešullam* à l'enfant qui remplaçait l'aîné mort prématurément[23]. Dans le nom *Šulammit*, c'est plutôt l'aspect de la paix qui est mis en valeur comme dans *Šelomo*, le Pacifique.

Le chapitre 9 du Premier livre des Chroniques renferme beaucoup de noms de Lévites, formés à partir du radical *šlm* : Mešullam (quatre fois), Šallum (quatre fois), Mešillemet (une fois), Mešelemeya (une fois). Dans ce même chapitre sont mentionnés aux vv. 29-30 le vin, l'huile, l'encens, les parfums, les mélanges aromatiques. On y parle aussi des vaillants preux (v. 13), au nombre de mille sept cent soixante ; ils ne sont que soixante dans Cant. 3 : 7, mais il faut noter le contact numérique. Il est aussi question de Lévites qui «passent la nuit» aux alentours de la maison de Dieu. Tout cela rappelle quelque peu Cant. 3 : 7-8. Enfin, le Chroniste appelle Jérusalem au v. 19 le *camp* de YHWH ; là était installée la Tente ou Maison de Dieu (*ibid.*, vv. 26-27). Cette mention du camp à propos de Jérusalem est à retenir.

En effet, dans les Chroniques, Jérusalem est assimilée au camp israélite du temps de l'Exode. La sortie de Babylone est comparée dans la seconde partie du livre d'Isaïe, et ailleurs, à la sortie d'Égypte sept siècles plus tôt. Sion est devenue le second Sinaï d'où sort la Loi (Is. 2 : 3 ; Mic. 4 : 2 ; cf. Ps. 68 : 18). Cette idéologie sacerdotale se reflète dans l'expression «Jérusalem, camp de YHWH», séjour de sa Gloire. Dans 1 Chron. 12 : 23, il est dit que le camp de David devint grand comme un «camp de Dieu», locution superlative équivalant à gigantesque, immense. Et cela, juste avant de relater la décision de transporter l'arche à Jérusalem (13 : 3 ss). On retrouve l'expression «camp de Dieu» sous la forme «camp de YHWH» dans 1 Chron. 9 : 19 et 2 Chron. 31 : 2 (cf. Zach. 9 : 8 ; Deut. 23 : 15 ; Jos. 6 : 23).

Ceci nous ramène à Cant. 7 : 1 qui parle d'une danse des *deux* camps. Le mot hébreu est au duel, mais les versions grecques et la Vulgate ont un pluriel «des camps». On a souvent souligné l'allitération et cherché à rendre compte de cette danse de bien des façons[24]. On a pensé à une danse et une contre-danse, au va-et-vient de deux groupes de chanteuses et de danseuses[25]. On a aussi rappelé la danse du sabre que la nouvelle épouse exécutait le soir de ses noces en Syrie, dans le Djébel Hauran. Mais A. Robert préfère rapprocher un épisode célèbre de l'histoire de Jacob : Gen. 32.

Le clan du patriarche était devenu si nombreux qu'il fallut le scinder en *deux* camps (v. 11)[26]. Or, dans Cant. 6 : 4, peu avant le texte qui nous occupe, le poète avait mentionné Tirça (et non pas Samarie !) avec Jérusalem, les *deux* capitales en Israël et en Juda après la mort de Salomon, séparées par le schisme des dix tribus depuis les règnes de Jéroboam I et de Roboam, fils de Salomon. Leur réconciliation et leur réunification furent souvent envisagées et espérées à l'époque du second Temple. De nombreux textes en témoignent[27]. Le Chroniste y insiste beaucoup, en particulier dans le récit de la pâque du roi Ezéchias[28]. Il est possible que le Ps. 68 : 28 y fasse aussi allusion : ce verset nomme Juda et Benjamin, Zabulon et Nephtali[29].

Ce thème de la réunification est lié au thème du *retour*[30]. Déjà Gen. 32 : 10 rappelle l'ordre divin : « Reviens dans ton pays », précisément avant la mention des « deux camps ». 2 Chron. 30 : 6 cite les paroles des envoyés du roi Ezéchias : « Israélites, revenez à YHWH ». Cette formule deutéronomique figure dans 1 Sam. 7 : 3 ; Samuel dit à Israël : « Revenez à YHWH de tout votre cœur », aussitôt après un passage qui décrit l'installation de l'arche à Qiriat-Yearim. Dans une addition postexilique du livre de *Jérémie* où il est aussi question de l'arche d'alliance et de sa disparition (3 : 16), YHWH répète plusieurs fois l'exhortation « Reviens ! » à l'adresse d'Israël (vv. 12, 14), après avoir constaté que ni Israël, ni Juda n'étaient encore « revenus » à lui (vv. 7, 10). Là aussi, les *deux* royaumes du Nord et du Sud sont nommés ensemble. La fin de cet oracle annonce que la maison de Juda ira vers la maison d'Israël (v. 18) : c'est le thème développé par le Chroniste au chapitre 30, cité plus haut.

Or, le quadruple « reviens ! » de Cant. 7 : 1, adressé à la Shulamite, pourrait sans doute s'expliquer dans une telle perspective, de même que la danse des deux camps[31]. En effet, la translation de l'arche sous David et son « retour » à Sion s'étaient accompagnés de danses de toute la maison d'Israël et de son roi David. C'est aussi parmi les danses et les chants de joie qu'aura lieu le « retour » de la Vierge d'Israël vers la hauteur de Sion (Jér. 31 : 4, 13) : « Reviens, vierge d'Israël, reviens vers ces villes qui sont tiennes » (*ibid.*, 21). On aurait ainsi transposé le sens primitif où le quadruple *šwby* pouvait désigner la rotation de la danseuse, son tournoiement[32].

Dans Cant. 7 : 1, la quadruple adjuration « Reviens ! » peut évoquer le retour des exilés de Juda à partir des quatre points du monde, selon un thème bien attesté ailleurs[33]. Déjà l'écrivain yahviste décrit de façon schématique la prise symbolique de la Terre promise à partir des quatre points cardinaux[34]. Et dans Nomb. 10 : 36, Moïse disait quand l'arche faisait halte : « Reviens, Seigneur ! Des myriades sont les milliers d'Israël »[35].

Sans corriger le texte reçu, il est donc possible de rendre compte de Cant. 6 : 12 - 7 : 1 en se référant à l'histoire de David : la translation de l'arche à Sion et l'épisode d'Abishag de Shunem. Le poète aura retouché intentionnellement les noms *Abinadab* et *Šunammit* pour bien marquer son intention de suggérer une lecture messianique. La Fille de Sion est en effet devenue un peuple « théophore ». YHWH y a fait le lieu de sa résidence et de son repos. Elle s'est engagée à le servir à Sion, *là* où il demeure[36]. La translation de l'arche au temps de David préfigure le renouvellement du culte par les Juifs rapatriés en Judée, à partir de 515, au temps de Zorobabel. Comme au temps de David et de Salomon, le peuple d'Israël retrouve alors une certaine unité, et Jérusalem, avec Néhémie, redevient une belle ville dont la splendeur est célébrée par beaucoup de textes poétiques (Is. 60 et 62 ; Ps. 45 : 12 ; 48 : 3 ; 50 : 1, etc.). Rassemblés des quatre points du monde, ses habitants recevront le don de la paix dans l'allégresse et les joyeuses danses (Jér. 31 : 4 ; Zach. 8 : 12).

Il est vrai que le verbe *šub* peut aussi s'entendre dans le sens de « se convertir » ; ainsi dans Ez. 33 : 11 où on redit deux fois : « Revenez, revenez (de votre méchante conduite... Maison d'Israël) ». Le Midrash Rabba sur le Cantique des Cantiques cite Is. 66 : 12 : « J'étendrai vers elle la paix comme un fleuve », en citant Cant. 7 : 1 : c'est en se convertissant qu'Israël et chaque israélite en particulier deviendra « faiseur de paix » pour le monde entier[37]. Dieu inviterait alors au repentir l'Israël infidèle en l'appelant *Šulammit*, car Israël est le peuple qui établit « la paix » entre Dieu et le monde[38]. Il s'agit là d'un nouveau développement qui dépasse la portée immédiate de Cant. 7 : 1 interprété à la lumière des livres historiques de Samuel, des Rois, des Chroniques.

*

* *

NOTES

1. C'est l'opinion de O. LORETZ (*Studien zur althebräischen Poesie. I. Das althebräische Liebeslied, AOAT* 14/1, 1971, p. 41) ; de même J. ANGÉNIEUX, *ETL* 44 (1968), p. 128.

2. Ainsi L. KRINETZKI, *Bib* 52 (1971), p. 188. J'ai proposé une explication analogue pour Ps. 71 : 15 (*Notules sur les Psaumes, Alttestamentliche Studien F. Nötscher...*, *BBB* I, 1950, pp. 277-280). Shalom PAUL rapproche l'expression akkadienne *ramānšu la īde* « il ne le sait plus lui-même » (*Unrecognized Medical Idiom in Canticles 6, 12 and Job 9, 21, Bib* 59 (1978), pp. 545-546).

3. *Op. cit.*, pp. 245, 248 ; la *TOB* reprend cette conjecture.

4. *A Study of the Language of Love...*, 1978, p. 46.

5. *Les suffixes verbaux non accusatifs dans le sémitique nord, Bib* 45 (1964), p. 244 ; cité par POPE, p. 587.

6. *Ruth. Das Hohelied*, 1965, p. 191.

7. *Op. cit.*, p. 552 et fig. 11. Dans la « description lyrique » publiée par J. NOUGAYROL (*Ugaritica* 5, 1968, p. 365), la « mère » est identifiée entre autres choses à un char de genévrier, une litière de buis.

8. *The New English Bible*, 1970, p. 805 (texte hébreu corrigé).

9. Ps. 39 : 9 ; 102 : 2 ; 147 : 14.

10. Voir R. TOURNAY, *Les chariots d'Aminadab (Cant. VI, 12) : Israël, peuple théophore, VT* 9 (1959), pp. 288-309.

11. *Le Cantique des Cantiques* (La Sainte Bible, VI), 1946, Paris, pp. 346-347.

12. *Le Cantique des Cantiques de Salomon*, Abbeville, 1919, p. 65.

13. Cf. R. de VAUX, *Les chérubins et l'arche d'alliance, les sphinx gardiens et les trônes divins dans l'ancien Orient, Bible et Orient*, 1967, pp. 231-259 ; F. LANGLAMET, *Les récits de l'institution de la royauté (I Sam. VII-XII), RB* 77 (1970), p. 182.

14. Sur le transport des statues des dieux vaincus, cf. H.D. PREUSS, *Verspottung fremder Religionen im A. T., BWANT* 5, 12/92, Stuttgart, 1971, pp. 215-224 ; M. COGAN, *Imperialisme and Religion*, 1974, pp. 22-41. La *merkaba* d'Ezéchiel (chap. 1 et 10 ; cf. Ben Sira 49 : 8) transporte la Gloire de YHWH ; on sait que ce thème est à l'origine de nombreuses spéculations dans les midrashim et la Kabbale juive.

15. Trois rois ammonites au moins s'appelaient Amminadab. Ce nom est aussi attesté dans des sceaux (cf. R. HESTRIN and Michal DAYAGI-MENDELS, *Inscribed Seals*, Israel Museum, Jerusalem, 1979, p. 129).

16. 1 Chron. 28 : 21 ; 2 Chron. 17 : 16 ; 29 : 31 ; 31 : 14 ; 35 : 8 ; cf. Esd. 1 : 46 ; 2 : 68 ; 3 : 5 ; 8 : 28 ; Néh. 9 : 2 ; Ps. 110 : 3 (hébreu) : « Ton peuple est générosité (volontaire) » : cette leçon proviendrait d'une relecture des cercles lévitiques, à rapprocher de 1 Mac. 2 : 42 et de la Règle qumranienne de la Communauté (1 : 7, etc.) qui parle des « volontaires de la Tora » (cf. F.-M. ABEL et J. STARCKY, *Les livres des Maccabées*, 3e éd., 1961, p. 99, note *c*).

17. L'expression revient au v. 19 ; cf. aussi 2 Rois 2 : 3 ; Is. 38 : 3 ; 1 Chron. 12 : 38 ; 28 : 9 ; 29 : 9, 19 ; 2 Chron. 15 : 17 ; 19 : 9 ; 25 : 2. Mais l'expression « de tout cœur » est plus fréquente.

18. 1 Rois 2 : 17 ss ; cf. 1 Sam. 28 : 4 ; 2 Rois 4 : 8, 25. Sur Šunem, cf. F.-M. ABEL, *Géographie de la Palestine*, II, 1938, p. 470.

19. Comme dans 3 Rois 1 : 15 et 4 Rois 4 : 12.

20. Après la voyelle *a*, il y a un redoublement spontané de la consonne *m* (JOÜON, § 18 f, 58 b.)

21. Cf. H.H. SCHMID, Šalôm : Frieden im Alten Orient und im Alten Testament (Stuttgarter Bibelstudien 51), 1971.

22. Cf. M. NOTH, Israelitische Personennamen, p. 165. M. Dotan a trouvé le nom šlmy sur une jarre de Azor (Atiqot 3, 1961, p. 183).

23. Cf. R. TOURNAY, RB 75 (1968), p. 592.

24. Cf. A. STRUS, Nomen-Omen (Anal. Bib., 80), Rome, 1978, p. 74.

25. Sur les danses féminines, cf. O. LORETZ, Studien zur althebräischen Poesie. I. Das althebräische Liebeslied, pp. 42-43. Sur le chant responsorial ou alterné en Israël, cf. R. TOURNAY, RB 78 (1971), p. 24, notes 31-32; déjà chez les Sumériens, cf. J. KRECHER, Sumerische Kultlyrik, 1966, pp. 42-43.

26. Cf. A. de PURY, Promesse divine et légende cultuelle dans le cycle de Jacob, 1975, p. 98. — David passera à Mahanaïm (2 Sam. 2 : 8; 17 : 24). Sur ce site, cf. K.O. SCHUNCK, Erwägungen zur Geschichte und Bedeutung von Mahanaim, ZDPV 113 (1963), pp. 34-40.

27. Jér. 3 : 18; 23 : 16; 31 : 6; 33 : 24; 50 : 4, 33; 51 : 5; Ez. 37 : 5 ss; Os. 2 : 2; Mich. 2 : 12; Zach. 9 : 13; 10 : 6; Ps. 80, etc.

28. 2 Chron. 30 : 5, 10, 18, 25; 31 : 1; cf. déjà 1 Chron. 9 : 3. Voir H.G.M. WILLIAMSON, Israel in the Book of Chronicles, 1977, pp. 119-130.

29. Cf. R. TOURNAY, etc., Les Psaumes (BdJ), 3e éd., p. 293, note p.

30. Sur le verbe šub « revenir », « se convertir », etc., cf. W.L. HOLLADAY, The Root Šûbh in the Old Testament with Particular Reference to its Usages in Covenantal Contexts, Leiden, 1958.

31. On a proposé de donner à šub le sens de « danser » d'après un texte de Qumrân (4QS, 1, 40, 4 et 7 : liturgie angélique; règle de chant pour l'holocauste du Sabbat). Cf. H.-J. FABRY, Die Wurzel šub in der Qumran-Literatur (BBB 46), 1975, p. 254.

32. Cf. M.I. GRUBER, Ten Dance-Derived Expressions in the Hebrew Bible, Bib 62 (1981), pp. 343-344.

33. Is. 43 : 5-6; Zach. 2 : 10; 6 : 5; Ps. 107 : 3; cf. Is. 11 : 12.

34. Cf. A. de PURY, op. cit., 1975, pp. 179-180 (Gen. 13 : 14; 28 : 14; Deut. 3 : 27).

35. Texte incertain et corrigé de diverses façons. Les nuns inversés indiquent que le texte a été altéré. Cf. B.A. LEVINE, More on the Inverted Nuns of Num. 10 : 35-36, JBL 95 (1976), pp. 122-125.

36. Une application mariale pourrait être envisagée dans la perspective du mystère de la Visitation. La Vierge Marie « porte » le Messie attendu par Israël et venu sauver tous les hommes. Après E. BURROWS (The Gospel of the Infancy, 1940, p. 47), R. LAURENTIN a montré que la scène de la Visitation exploite la typologie de l'Arche d'Alliance et nous renvoie au récit de la translation de l'Arche sous David (Structure de Luc I-II, 1957, pp. 79 ss, 118, 151).

37. Cf. The Midrash, IX, Song of Songs, 3e éd., 1961 (The Soncino Press, London), p. 275. Voir ci-dessus p. 58.

38. Cf. L. DUPONT, Les Béatitudes, III (Études Bibliques), 1973, p. 640, note 3.

CHAPITRE VIII

LE MESSIE DAVIDICO-SALOMONIEN

Les livres des Chroniques réservent une place de choix aux rois David et Salomon, parfois nommés côte-à-côte (2 Chron. 7 : 11 ; 8 : 14 ; 11 : 17 ; 30 : 26. Cf. Néh. 12 : 45). Les ombres de leurs règnes sont soigneusement passées sous silence. David est présenté comme le fondateur du culte du Temple, et Salomon comme le constructeur de ce Temple. Le culte lévitique et le fonctionnement du sanctuaire sont au cœur du récit. La prophétie de Nathan, faite à David, revêt une importance capitale, car elle annonce que la promesse au sujet de la descendance davidique se réalisera d'abord en l'un de ses fils, Salomon ; le Chroniste insiste beaucoup sur le choix divin. Salomon ne pourra qu'avoir une conduite sage, contrairement à l'éventualité envisagée dans 2 Sam. 7 : 14 : « S'il commet le mal, je le châtierai avec une verge d'homme... ». Salomon réalisera donc pleinement le programme inscrit dans son nom ; il apportera paix et tranquillité à Israël (1 Chron. 22 : 9) ; cette paix sera le fruit de la justice (Is. 32 : 17 ; Zach. 9 : 9-10). On rejoint ici le portrait brossé par l'auteur du Ps. 72, attribué à Salomon d'après le titre.

C'est plus tard, à l'époque hellénistique, que les sages d'Israël réfléchiront sur les malheurs présents et passés d'Israël, et avant tout sur le schisme des dix tribus ; ils rendront Salomon responsable de cette brisure dont Israël ne se relèvera jamais. Ainsi Qohéleth fait allusion à Roboam, le fou, successeur du sage (2 : 18-19), et Ben Sira rappelle les fautes de Salomon (47 : 19-21 ; cf. Néh. 13 : 26). Quant à David, les générations garderont de lui le souvenir de l'ancêtre du Messie, « fils de David », « rejeton de David » (Jér. 23 : 5 ; 33 : 15). Cette dernière expression figure dans les textes de Qumran[1]. Quant à l'expression « mon serviteur David », elle prit après l'Exil une coloration nettement messianique, comme on le voit par exemple dans les Ps. 89 et 132[2].

Contrairement aux allusions explicites à Salomon, le Cantique des Cantiques ne nomme qu'une seule fois David à propos de la « tour de David » (*dwyd*, 4 : 4). Devons-nous en rester là et constater l'absence de toute autre référence même implicite au père de Salomon ? Je ne le crois pas.

Constatons d'abord que le nom de David, *dwyd*, est composé des mêmes consonnes que le mot *dodî*, *dwdy*, « mon chéri ». C'est dans 1 : 13-14 que la jeune fille applique à deux reprises, comme pour y insister, ce qualificatif à celui que son cœur aime (1 : 17) ; elle ajoute que son chéri est Roi comme elle l'avait déjà dit dans 1 : 4 et 12. Examinons toutes les mentions de *dwd* dans le Cantique. On a 26 fois *dodî* « mon chéri », et 4 fois « ton chéri » quand le chœur questionne la jeune fille (5 : 9 ; 6 : 1). Dans 5 : 9, on a 2 fois *dôd* sans suffixe pronominal ; dans 8 : 5, on a « son chéri » dans la question posée par le chœur. Il y a au total 33 mentions de *dôd*. Chaque fois que la jeune fille parle, elle dit « mon chéri ». L'unique description qu'elle fait de son chéri — en son absence, notons-le — est précédée (5 : 8-10) et suivie (5 : 16 et 6 : 1-3) chaque fois de 6 mentions du mot *dod*. C'est là un cadre symétrique qui ne peut qu'être intentionnel.

Dans les livres de Samuel et des Rois (sauf 1 Rois 3 : 14 et 11 : 4), le nom de David est écrit *dwd* sans le yod, exactement comme *dod* ; il en est de même dans le livre des Psaumes. Le *yod, mater lectionis*, apparaît dans les livres postexiliques : Esdras, Néhémie, les Chroniques, Zacharie ainsi que les additions d'Amos 9 : 11 et Ez. 34 : 23 ; il en est de même dans les textes de Qumrân. Remarquons aussi que le mot *dod* n'est jamais employé au féminin dans le Cantique à propos de la jeune fille[3]. Celle-ci est appelée huit fois *ra῾yati* « mon amie », et six fois *kallah* « fiancée ».

Le pluriel *dodîm* « chéris » (5 : 1), appliqué à des personnes[4], est unique dans le Cantique. Il est alors parallèle à *re῾îm* « amis » et a été diversement interprété. S'agit-il de paranymphes, d'amis du jeune couple ? Un peu plus loin (5 : 16), on a le même parallélisme entre « chéri » et « ami », mais ces mots s'appliquent au jeune homme et à la jeune fille. Avec Lys, Gerleman, etc., on peut penser que, dans 5 : 1, il s'agit seulement des deux amants. C'est en effet la solution la plus simple. On rapproche aussi ce passage de 1 Rois 4 : 20 : au temps de Salomon, on mangeait, on buvait, on vivait heureux (cf. 2 Sam. 11 : 11 et Qoh. 3 : 12-13).

Le pluriel abstrait *dodîm*, au sens de « caresses »[5] se trouve dans le prologue (1 : 2-4), 4 : 10 et la finale (7 : 13). Les versions ont lu *dadîm* « mamelles » comme dans Prov. 5 : 19 (texte massorétique). Mais le pluriel abstrait est attesté dans Prov. 7 : 18 où il signifie « volupté », et dans Ez. 16 : 8 et 23 : 17 au sens de « amours ».

Si les noms de Salomon et de Jérusalem se trouvent associés plusieurs fois dans le Cantique : au début (1 : 1, 3), à la fin (8 : 4, 11, 12) et dans la description du cortège nuptial (3 : 5, 7, 9-11), il en est de même pour *dodî* et Jérusalem dans 2 : 7, 8 ; 8 : 4, 5, et surtout dans les versets encadrant la description du jeune homme : 5 : 8 ss, 16 ; 6 : 1-3. Il y a là peut-être un indice qui suggère de penser à David quand on parle du *dôd*. Le nom même de David est la forme *qaṭîl* du radical *dwd*, c'est-à-dire « chéri, aimé » (de ses parents, d'Israël, surtout de YHWH). Or, le surnom *yᵉdidya* donné à Salomon par le prophète Natan (2 Sam. 12 : 25 ; cf. Ben Sira 47 : 18 hébr.) revêt la même signification « aimé de YHWH » ; *yadîd* est aussi une forme *qaṭîl* (comme *nagîd, naśî, mašiaḥ*, etc.), considérée comme un participe passif d'un radical *ydd*, variante du radical *dwd*, tous deux dérivés de l'onomatopée *dad*[6]. Ces deux mots se trouvent associés au début du chant de la vigne, dans Isaïe 5 : 1 : le bien-aimé, le fiancé, va chanter sur et contre sa fiancée[7]...

Il est vrai qu'on a voulu voir dans le *dôd* du Cantique une réplique de Tammuz, l'amant des femmes (cf. Ez. 8 : 14). Rien n'oblige à accepter cette hypothèse, corollaire de l'interprétation mythologique du Cantique des Cantiques, aujourd'hui bien dépassée. Mais il n'est pas déraisonnable de supposer ici quelque influence égyptienne, car les noms de David et de Yedidya ont pu être rapprochés de beaucoup de noms royaux égyptiens, formés de l'épithète « aimé » suivie d'un nom de divinité. Dans le Cantique, le *dôd* est seulement le « chéri » par excellence, comme le montrent les dernières paroles de la jeune fille, achevant de décrire son bien-aimé : « Tel est mon chéri, tel est mon ami, filles de Jérusalem » (5 : 16).

Salomon et David se trouvent aussi associés par leurs « preux ». Les annalistes ont donné beaucoup d'importance aux « preux de David » (2 Sam. 23 : 8-39 ; 1 Chron. 11 : 10-47 ; 12 : 19). Or le Cantique parle des boucliers des « preux » à propos de la tour de David (4 : 4) et il avait déjà parlé des soixante preux qui entouraient le roi Salomon, l'épée à leur côté (3 : 7-8)[8].

On peut donc se demander si le poète ne veut pas faire une allusion plus ou moins implicite à David quand il imagine la description du jeune homme (5 : 10-16). La question se pose dès le premier verset (v. 10) traduit de bien des façons :

> «Mon Bien-aimé est frais et vermeil, il se reconnaît entre dix mille[9].»
> «Mon chéri est clair et rose, il est insigne plus que dix mille[10].»
> «Mon chéri, limpide et rose, en étendard, plus que myriade[11].»

Dans ce passage, l'épithèse 'adom «rouge», proche d'Edom le «roux» (Gen. 25 : 25), rappelle l'épithète 'admoni appliquée au jeune David dans 1 Sam. 16 : 12 et 17 : 42[12]. Les versions traduisent «roux». On traduit parfois «le teint clair» pour mettre en relief la jeunesse de David, adolescent méprisé comme tel par les Philistins (17 : 42)[13]. En outre, la mention des «dix mille» n'est pas sans rappeler plusieurs acclamations saluant le roi David. Les troupes qui l'accompagnaient lui déclarent : «Tu es comme dix mille d'entre nous» (2 Sam. 18 : 3)[14]. Les femmes répétaient à l'envi l'ovation faite à David vainqueur en criant : «Saül a battu ses milliers et David ses myriades» (1 Sam. 18 : 7 ; 21 : 12 ; 29 : 5). L'écho en est parvenu jusqu'à Ben Sira, texte hébreu : «Aussi les filles ont chanté pour lui et l'ont surnommé Dix mille» (47 : 6) ; texte grec : «Aussi lui a-t-on fait gloire de dix mille et l'a-t-on loué dans les bénédictions du Seigneur en lui offrant une couronne de gloire».

Cependant, la suite de la description du jeune homme (5 : 11-16) ne semble faire aucune allusion, même fugitive, à la personnalité du roi David. Exploitant une suggestion qui lui avait été faite, A. Robert avait essayé de voir dans ce morceau une série d'allusions au Temple de Jérusalem. La tête de l'époux, en or, serait assimilée au Saint des Saints. Les boucles évoqueraient les palmes et les fleurs sculptées sur les lambris de cèdre et les battants des portes du Saint (1 Rois 6 : 18, 29, 32, 33). La noirceur du corbeau évoquerait l'obscurité du Saint des Saints, sans fenêtre. Les vv. 12-13 rappelleraient le bassin d'eau lustrale, la mer d'airain où se purifiaient les prêtres et dont le bord (littéralement : la lèvre) ressemblait à la lèvre d'une coupe, à une fleur de lys (1 Rois 7 : 26). Les mains évoqueraient les deux colonnes massives (1 Rois 7 : 15-22), et le ventre, le vestibule du sanctuaire. Les jambes seraient les socles d'argent ou d'airain et les colonnades (cf. Ben Sira 26 : 18). Enfin les cèdres du Liban (v. 15) avaient été employés à profusion dans la construction du Temple. Le Liban est d'ailleurs mentionné sept fois dans le Cantique. Dans les Targums et la littérature rabbinique, le mot Liban en est venu à désigner le Temple de Jérusalem. C'est déjà le cas dans le *pesher* (commentaire) d'Habacuc, découvert dans la première grotte de Qumrân[15].

On a beaucoup critiqué l'interprétation de A. Robert. G. Gerleman a proposé une autre explication, à partir de la statuaire égyptienne[16]. Les statues égyptiennes étaient en effet peintes en ocre foncé pour les hommes, en ocre clair pour les femmes. L'expression hébraïque *ṣaḥ wᵉ'adom* pourrait signifier « ocre clair ». D'autres détails de la description du jeune homme pourraient sans doute se comprendre de la même façon. On aurait ici, une fois de plus, une attestation de l'influence égyptienne sur le Cantique. Mais celle-ci est loin d'exclure toute réminiscence proprement biblique, comme par exemple une allusion à la beauté de David, ancêtre du Roi Messie, le plus beau des enfants des hommes (Ps. 45 : 3)[17], et pourquoi pas aussi, quelque allusion au Temple, parangon de beauté. Métaphores et symboles ont leur logique propre, celle de la poésie. La jeune fille a pu décrire son chéri comme une statue divine en lui appliquant des éléments de diverses origines, même mythologiques, avec des allusions à David et au Temple. Comme dans Prov. 3 : 13 ss ; 8 : 10 ss ; Ben Sira 50 : 6 ss, les comparaisons se succèdent et se renforcent mutuellement ; les lettrés, sémites ou égyptiens, affectionnaient ces images juxtaposées[18].

David est le Roi-Pasteur par excellence. Il était berger « derrière les brebis » quand Samuel vint le chercher pour en faire le chef d'Israël[19]. La fin du Ps. 78 (vv. 70-72) évoque David, le pasteur sage au cœur irréprochable. Le Ps. 151 (Septante) parle de David le berger[20]. Ezéchiel annonce la venue d'un pasteur idéal, « mon serviteur David », qui sera prince sur Israël[21]. Mich. 5 : 3 parle de la fonction pastorale du Messie à venir[22].

Or, le thème du berger et du troupeau apparaît dès le début du Cantique (1 : 7-8). La jeune fille demande à celui qu'elle aime où il mènera paître le *troupeau* et où il le mettra au repos à l'heure de midi. Elle ne veut plus vagabonder[23] près du troupeau de ses compagnons. Le chœur — les filles de Jérusalem nommées au v. 5 — lui répond de suivre les traces du troupeau et de mener paître ses chevreaux près des demeures des pasteurs. C'est aussi le thème du berger qui conclut la formule d'appartenance mutuelle : « Mon chéri est à moi, et je suis à lui, qui est *berger* parmi les lis » (2 : 16 ; 6 : 3)[24]. On a souligné plus haut (p. 69) l'ambiguïté de cette expression ; le participe *ro'eh* peut signifier soit « pâturer et se repaître » (sens attesté par la Vulgate), soit « faire paître » (sens attesté par la Septante). Les commentateurs demeurent ici perplexes ; ils rappellent souvent les scènes de bergeries et de troupeaux, ainsi que la cueillette des lotus, thèmes souvent représentés sur les bas-reliefs d'Égypte[25]. Là encore, le poète s'inspirerait de l'Égypte, sans penser à quelque roi-pasteur ou plus précisément à David, mais quand la jeune fille met en parallèle *dwdy* « mon chéri » et *r'y* « mon ami » (5 : 16), on peut se demander si un « double entendre » n'est pas possible aussi bien pour *r'y* qui pourrait être compris « mon pasteur » que pour *dwd* David : ces mots ont la même graphie consonantique, et seule la vocalisation peut les différencier[26].

David et son fils Salomon sont tous les deux associés dans une commune imagerie, celle du vigneron. Déjà l'oracle de Jacob sur Juda (Gen. 49 : 10 ss) d'où sortira l'héritier de David, voit dans ce dernier personnage un vigneron qui attache son âne à la vigne, et au cep le petit de son ânesse, qui roule son vêtement dans le vin et sa tunique dans le sang *(dam)* des grappes. Dans Is. 63 : 2-3, cette imagerie s'applique à Dieu lui-même, vengeur de son peuple aux dépens des païens : « Pourquoi ce rouge *('adom)* à ton manteau, et tes habits sont-ils comme ceux d'un fouleur au pressoir ? — La cuve, je l'ai foulée seul... leur jus (celui des païens) a giclé sur mes habits et j'ai taché tous mes vêtements ». Les targumistes appliquent ces textes directement au Messie dont ils soulignent en même temps la beauté : « Qu'il est beau, le Roi Messie qui doit se lever d'entre ceux de la maison de Juda ! Il ceint ses reins et il part au combat contre ses ennemis, et il tue des rois avec des chefs. Il rougit les montagnes du sang de leurs tués et blanchit les collines de la graisse de leurs guerriers. Ses vêtements sont trempés dans le sang et il ressemble à un fouleur de raisins »[27].

Dans le Cantique, la vigne (1 : 6, 14 ; 2 : 13, 15 ; 6 : 11 ; 7 : 9, 13), les raisins (7 : 9) et le vin (1 : 2, 4 ; 3 : 10 ; 4 : 10-5 : 1 ; 7 : 10 ; 8 : 2) tiennent une grande place. Selon 8 : 11, Salomon avait une vigne à Baal-Hamôn (voir p. 27). Des gardiens devaient la gérer et en partager la récolte de raisins évaluée à une somme énorme, mille pièces d'argent. On a rapproché ce chiffre des mille femmes, épouses et concubines (1 Rois : 11, 3) du Salomon de l'histoire. Ici, l'image de la vigne, figure traditionnelle d'Israël, peut être transposée dans une perspective messianique. Pour le nouveau Salomon compte seulement la Fille de Sion : elle est à son entière disposition. Mais une telle interprétation reste hypothétique, car ce passage n'a pas encore reçu d'explication satisfaisante.

Une dernière considération fera peut-être sourire. Le mot *dôd* avec ou sans suffixe revient trente-trois fois dans le Cantique. Or David régna trente-trois ans à Jérusalem (1 Rois 2 : 11 ; 1 Chron. 29 : 27). Est-ce là une pure coïncidence ?

La dernière mention de *dôd* se trouve au dernier verset du livret, 8 : 14 : « Fuis[28], mon chéri, et sois comparable à la gazelle ou au jeune faon sur les montagnes des aromates ». On sait que ce verset reprend avec des variantes 2 : 17. Déjà 8 : 13 reprenait quelques mots de 2 : 14, « fais-moi entendre ta voix ». Ces derniers versets pourraient avoir été ajoutés par le rédacteur final. Or, dans 8 : 11-12, Salomon est mentionné à deux reprises, ce qui fait en tout sept mentions de son nom à travers tout le Cantique. Le même rédacteur a pu chercher à obtenir trente-trois mentions du mot *dôd*, équivalent de David.

Quoi qu'il en soit, une lecture messianique du Cantique est en droit de découvrir, à côté de la personnalité de Salomon, celle de son père David[29]. Tous deux composent dans la tradition juive le type complet, idéal, du Roi-Messie. Tous deux sont complaisamment idéalisés dans le livre des Chroniques ; il peut en être ainsi dans le Cantique. De même que la femme est fidèle à l'ami de sa jeunesse et n'oublie pas l'alliance de son Dieu (Prov. 2 : 17), la Fille de Sion ne manque pas de découvrir à travers les descriptions du Cantique l'archétype du Roi-Messie, nouveau David et nouveau Salomon. Le Cantique rejoindrait ainsi le livre des Chroniques qui considère le règne de David comme le type du royaume théocratique annonciateur de l'époque idéale qui sera celle de Salomon le Pacifique[30].

*

*   *

NOTES

1. Cf. 4Q Flor 11 et Patr. Blessings I, 3 (CARMIGNAC-COTHENET-LIGNÉE,*Les Textes de Qumrân*, II, 1963, pp. 282, 287).

2. Cf. 2 Sam. 7 : 13 ; 1 Rois 1 : 31 ; Ps. 89 : 5, etc. A. KAPELRUD a rapproché l'expression ugaritique *mlk 'lm* appliquée au dieu Rpu (*The Ugaritic Text RS 24.252 and King David, Journal of Northwest Semitic Languages*, 3, 1974, p. 39). Ce dieu guérisseur est très probablement identique au dieu El (cf. CAQUOT-SZNYCER-HERDNER, *Textes Ougaritiques, LAPO* 7, 1974, p. 61, note 1). Sur David en tant que figure messianique, cf. GARCIA TRAPIELLO, *Influjo de la dinastia davidica en la esperanza messianica*, dans *La Esperanza en la Biblia*, XXX Semana Biblica Espanola, Madrid, 1972, pp. 5 ss ; Dennis C. DULING, *The Promises to David and their Entrance into Christianity-Nailing down a Likely Hypothesis, New Testament Studies* 20 (1974), pp. 55-77 ; C. BURGER, *Jesus als Davidsohn. Eine traditionsgeschichtlichen Untersuchung (FRLANT* 98), Göttingen, 1970. Voir aussi M. GOURGUES, *A la droite de Dieu. Résurrection de Jésus et actualisation du Psaume 110 : 1 dans le N. T.*, Paris, Gabalda, 1978.

3. Le féminin *dodah* désigne la tante (Ex. 6 : 20), la femme de l'oncle (Lév. 18 : 14 et 20 : 20).

4. Il s'agit sans doute des deux amants, comme le croient D. Lys, G. Gerleman, etc.

5. Comme le note LYS (*op. cit.*, p. 63), la traduction « caresses » conserve le lien verbal avec « chéri » (latin *carus*), traduction de *dod*. Rappelons que *duda'im* « pommes d'amour », « mandragores » (7 : 14 ; Gen. 30 : 14-16) est rattaché à la même racine. Sur les parallèles ugaritiques, cf. CAQUOT-SZNYCER-HERDNER, *op. cit.*, pp. 162-164.

6. Cf. H. BANK, *ZAW* 11 (1891), pp. 127 ss ; D.N. FREEDMAN, dans *Textus* 2 (1962), p. 96 ; A. HOFFMANN, *David, Namensdeutung zur Wesensdeutung (BWANT* 100), 1973, pp. 23-24. A Qumrân, cf. E.Y. KUTSCHER, *The Language... of Isaiah Scroll*, Jérusalem, 1959, p. 75. Noter l'arabe Daoud. On discute sur Ben Sira 40 : 20. Voir J.J. STAMM, *Der Name David, SupplVT*, 7 (1960), pp. 165-183, repris dans *Beiträge zum hebräischen und altorientalischen Namengebung*, Fribourg, 1980, pp. 25-43.

7. Cf. J.T. WILLIS, *The Genre of Isaiah V : 1-7, JBL* 96 (1977), pp. 337-362 ; J.T. GRAGGY, *The Literary Genre of Isaiah 5 : 1-7, UF* 10 (1978), pp. 400-409 ; H. WILDBERGER, *Jesaja*, p. 164. La mère du roi Josias s'appelait Yedida (2 Rois 22 : 1).

8. Néhémie 3 : 16 mentionne la « maison des preux ». Selon J. MACDONALD, le nom de David signifierait « le champion » ; il reprend tout le dossier akkadien, en particulier les textes des lettres de Mari où il est question de *dawidum* ; dans la stèle de Mésha, il propose de traduire *'r'l dwdh* « le lion de Dieu *(El)*, son champion » (*The Argument that West Semitic DAWIDUM Originally Meant « Champion »*, dans *Abr-Nahrain* 17, 1976-1977, pp. 52-71). Rappelons que *dawidum* est considéré comme une graphie de l'akkadien *dabdum, tapdu* « défaite ».

9. Traduction ROBERT-TOURNAY, pp. 210, 445 ; aussi *BdJ*.

10. Traduction LYS, p. 216 ; aussi *TOB*.

11. Traduction A. CHOURAQUI, *La Bible. Les cinq volumes*, 1975, p. 48.

12. Cf. R. TOURNAY, *Le Cantique des Cantiques. Commentaire abrégé*, 1967, p. 112.

13. On peut rapprocher Lam. 4 : 7 : « Ses consacrés (littéralement nazirs) sont plus purs que neige, plus blancs *(sahu)* que lait, plus roses *('admu)* de corps que le corail ». LYS (p. 219) admet que la jeune fille a pu appliquer à son chéri les traits du beau roi David.

14. Comparer Qoh. 7 : 28 : « un homme sur mille je le trouve ».

15. Cf. G. VERMÈS, *Scripture and Tradition in Judaism, Haggadic Studies*, Leiden, 1961, p. 38 (cf. *RB*, 1962, p. 612) ; CARMIGNAC-COTHENET-LIGNÉE, *op. cit.*, II, 1963, p. 115.

16. *Die Bildsprache des Hohenliedes und die altägyptischen Kunst*, dans *Annual of the Swedish Theological Institute*, 1 (1962), pp. 24-30; ID, *Ruth. Das Hohelied*, 1965, pp. 66-71.

17. On applique aussi au Messie Is. 33 : 17 (passage postexilique) : « Tes yeux contempleront le roi dans sa beauté ». Commentant Gen. 49 : 11, le Targum du Pseudo-Jonathan déclare : « Qu'il est beau le Roi Messie qui doit se lever d'entre ceux de la maison de Juda » (cf. P. GRELOT, *L'exégèse messianique d'Isaïe, LXIII, 1-6, RB* 70, 1963, p. 375).

18. Dans Ben Sira 50 : 6 ss, la description du grand prêtre Simon, fils d'Onias, multiplie les comparaisons avec le soleil, la lune, l'arc-en-ciel, la rose, le lis, l'arbre à encens, le vase d'or massif orné de pierres précieuses. Les prêtres qui l'entourent sont comparés à des cèdres du Liban et à des troncs de palmier. Voir aussi Ben Sira 26 : 18 et Ps. 144 : 12, pour des comparaisons analogues. Cf. B. COUROYER, dans *RB* 73 (1966), pp. 618-619.

19. 1 Sam. 13 : 14; 16 : 11-12; 17 : 15, 20, 28, 34; 2 Sam. 7 : 8. Cf. Ps. 89 : 28.

20. Texte hébreu dans 11Q Ps^a; cf. J. CARMIGNAC, *RdQ*, 1963, p. 374; *TOB*, p. 1441.

21. Ez. 34 : 23-24; 37 : 24; cf. Jér. 33 : 21; Ps. 18 : 1; 36 : 1; 78 : 70; 89 : 4 ss; 132 : 10; 144 : 10.

22. Cf. B. RENAUD, *La formation du livre de Michée*, 1977, pp. 245-246. Sur le thème du roi-berger, voir *BdJ*, 1973, p. 1280, note *d*; *TOB*, p. 942, note *d*.

23. En lisant *ṭo'iyyah* avec Symmaque, Syriaque Vulgate, Targum (cf. Ez. 13 : 10; Gen. 37 : 15), au lieu du texte massorétique « enveloppée, voilée » (cf. Gen. 38 : 14), leçon reprise par LXX et Aquila. G.R. DRIVER propose « épouillant » (cf. Jér. 43 : 12) dans son article *Lice in the Old Testament, PEQ* 106 (1974), pp. 159-160.

24. Voir ci-dessus, p. 42; cf. A. FEUILLET dans *RB* 68 (1961), p. 7; LYS, p. 129; POPE, p. 406.

25. Voir ci-dessus, p. 69 et p. 71, note 25.

26. Au temps de David et de Salomon, un haut fonctionnaire portait le titre de « ami du roi », *r'h* (2 Sam. 15 : 37; 16 : 16; 1 Rois 4 : 5). Le mot serait peut-être d'origine égyptienne avec le même radical que *r'h* « berger » et *r'* « ami » (cf. T.N.D. METTINGER, *Salomonic State Officials*, Lund, 1971, p. 69). A Ugarit, *r'y* « pasteur » est un titre de Hadad selon le texte 24.259 (*Ugaritica* V, 55, ligne 3). Dans le poème des Rephaïm (III R, col. B, ligne 27), on a *r'h* « son compagnon » ou « son pasteur » (cf. CAQUOT-SZNYCER-HERDNER, *op. cit.*, p. 477, note p).

27. Codex Neofiti 1; texte cité par P. GRELOT, *L'exégèse messianique d'Isaïe, LXIII, 1-6*, dans *RB* 70 (1963), pp. 375-376. Cf. aussi *Apoc.*, 19 : 13-15.

28. David s'est enfui à Engaddi (1 Sam. 24 : 1) et aussi à Mahanaïm (2 Sam. 17 : 24); ces deux toponymes sont mentionnés dans Cant. 1 : 14 et 7 : 1. Par ailleurs, cette fuite du « chéri » dans 8 : 14 ne conclut rien; ce n'est qu'un départ. Assurément il faut reconnaître avec A.-M. DUBARLE que beaucoup de rapprochements analogues seraient « hautement conjecturaux » (*RB* 61, 1954, p. 78, note 4).

29. Selon W. WIFAL, l'histoire de David a servi de base à Ezéchiel, comme à Zach. 9-14 et au Nouveau Testament, pour dépeindre l'avenir d'Israël (*David, Prototype of Israel's Future ?*, dans *Biblical Theology Bulletin*, Rome, III, 1973, pp. 94-107). Cf. D.M. GUNN, *The Story of King David. Genre and Interpretation, JSOT Suppl. Ser.* 6, Sheffield, 1978.

30. Sur cette typologie du Chroniste, voir T. WILLI, *Die Chronik als Auslegung. Untersuchungen zur literarischen Gestaltung der historischen Ueberlieferungs Israels* (FRLANT 106), Göttingen, 1972, p. 104.

CHAPITRE IX

UNE ALLUSION
AU ROI HIRAM DE TYR ?[1]

La seconde description élogieuse, ou *waṣf*, que le jeune homme adresse à celle qu'il aime débute dans Cant. 7 : 2. Appelée au v. 1 la « Shulamite », la jeune fille est supposée en train de danser : « Que regardez-vous dans la Shulamite, comme une danse des deux camps ? » (7 : 1). Dans le premier *waṣf* (4 : 1 ss), la description débutait par la tête de la jeune fille ; ici, elle commence comme il se doit par les pieds de la danseuse.

On constate à première vue, dans les vv. 1 à 6, une accumulation de comparaisons. La particule de comparaison, *caph* « comme », n'est pas répétée moins de sept fois (on a *kemo* dans 2c). Peut-être aussi une huitième fois dans 5b : « Tes yeux 'comme' les piscines de Heshbôn près de la porte de Bath-Rabbîm ». Mais le *caph* peut être ici sous-entendu sans qu'il y ait eu une haplographie[2]. Toutes ces images nous orientent déjà vers un monde symbolique.

Notons aussi que le stique 5a se trouve isolé, sans parallèle : « Ton cou est comme une tour d'ivoire ». Dans le premier *waṣf* (4 : 4), on avait l'équivalent : « Ton cou est comme la tour de David, bâtie par assises[3] ». C'est pourquoi on a proposé de suppléer au v. 5 un second stique, tel que *meyussad 'al-'adnê bahaṭ* « fondée sur des socles d'albâtre », d'après 5 : 15 : « ses jambes, des colonnes d'albâtres fondées sur des socles d'or fin ». De toute façon, on ne peut transposer ici 6c, stique dont il nous faut chercher le sens et qui n'a pas non plus de parallèle : *melek 'asur barehaṭîm*.

Le texte massorétique coupe avant le mot *melek* « roi » qu'il rattache à la suite comme le fait aussi la Septante :

> Sur toi ta tête est comme le Carmel
> et les mèches de ta tête sont comme la pourpre,
> un roi est lié dans les *rhṭym.*

Plusieurs versions (Aquila, Symmaque, Peshitta, Vulgate) ratta-chent *melek* au mot précédent *'argaman* «pourpre» et traduisent : «Les mèches de ta tête sont comme la pourpre royale...». Ainsi la Vulgate : *sicut purpura regis, vincta canalibus.* Une telle coupe du vers détruit la structure du tristique, composé de trois stiques de trois accents (rythme ternaire le plus fréquent en poésie hébraïque).

La comparaison de la tête de la jeune fille avec le mont Carmel est la dernière d'une série de comparaisons, aux vv. 5-6, avec divers topo-nymes : les piscines de Heshbôn et la porte de Bath-Rabbîm (lieu inconnu) en Transjordanie, puis le Liban et Damas en Syrie : «Ton nez est comme la tour du Liban (peut-être le grand Hermon), sentinelle face à Damas». Le mont Carmel se prête fort bien à une comparaison avec la tête de la jeune fille. En effet il est appelé *roš qadoš* «tête sacrée» dans les annales de Touthmès III[4]. Dans l'inscription égyp-tienne d'Ouni, la chaîne du Carmel se nomme «le nez de la gazelle»[5]. Ce *rās*, mot arabe qui désigne un cap, domine de 552 m la côte palesti-nienne et la plaine de Yizréel. Une riche végétation le couvre encore maintenant. Dans Is. 33 : 9, cette végétation est comparée aux forêts de Bashan, et dans 35 : 1 à la gloire du Liban. L'auteur de Cant. 7 : 6 se souvient peut-être de ces textes pour évoquer l'opulente chevelure de la jeune fille.

C'est entre le mont Carmel et la région de Tyr qu'on recueille encore aujourd'hui sur le littoral le plus beau murex, ce coquillage dont on extrait la pourpre. On a découvert un atelier de pourpre à Dor[6]. Dans les fouilles de Tell Keisan, près d'Akko, on a trouvé une grande cuve qui servait à fabriquer la pourpre[7]. Il ne faut donc pas corriger l'hébreu *karmel* en *karmîl*[8], le «cramoisi», extrait de la cochenille, mot emprunté au sanscrit.

Déjà mentionné dans Cant. 3 : 10, *'argaman* est la pourpre rouge, alors que *tokelet* est la pourpre violette. Le palanquin de Salomon était en bois du Liban, et son siège, de pourpre. Ici comme dans 7 : 6, Liban et pourpre sont mentionnés côte-à-côte. Ainsi dans 7 : 6, le poète compare les mèches, ou nattes, ou tresses, ou boucles (hébreu *dallah*[9]) de la jeune fille à de la pourpre rouge. Qu'est-ce à dire ? Le poète veut sans doute mettre l'accent, non sur la couleur des cheveux ou leur teinture (de henné ?), mais sur les brillants reflets de cette chevelure. Souvenons-nous d'ailleurs que la pourpre avait jadis une grande valeur, supérieure à celle de l'or et de l'argent, si bien que *argamannu* désigne en assyrien le tribut, ainsi que *arkaman* en hittite. Plus tard, la pourpre devint l'emblème du pouvoir royal et impérial; c'est ainsi que des versions ont cru qu'il s'agissait ici de la pourpre royale[10].

On a voulu omettre ce troisième stique, «un roi est lié...». On y a vu un fragment isolé d'un poème perdu[11], ou même l'une des gloses *melek* du Cantique[12]. Ce sont là des solutions trop faciles et peu respectueuses du texte reçu. Ce troisième stique n'est pas un doublet comme le serait peut-être 4 : 5c «qui paissent parmi les lis» après «deux faons jumeaux d'une gazelle». En ce dernier cas, le troisième stique répète 2 : 16b, alors que 4 : 6 reprend 2 : 17. On a harmonisé les deux passages. Il en est tout autrement de 7 : 6, car ce stique achève le second *waṣf*, et il est normal dans un développement lyrique de finir sur un élargissement. De plus, ce stique met en relief la mention du roi. Mais de quel roi peut-il s'agir ? Pour le savoir, il est nécessaire de préciser le sens de *rehaṭim*.

Plusieurs explications en ont été proposées. On ne peut rien tirer du targum, ni de la littérature rabbinique qui cite rarement ce texte[13]. I. Zolli[14] rapproche 1 : 17 où le *ketib rahiṭenu* se distingue du *qerê rhyṭnw* par un *ḥeth* au lieu d'un *hé*. Le parallélisme avec *qor* «poutre, chevron» suggère ici pour *rhyṭ* le sens de «lambris, solives». Ainsi l'ont compris Septante, Symmaque, les versions latines. Aquila et la Peshitta se contentent de transcrire le mot obscur. Le sens de lambris ou solives se trouve confirmé par l'arabe *rhṭ* «être réuni, assemblé», d'où «meubles», qui est le sens courant en hébreu moderne. I. Zolli traduit ce mot de la même façon dans 7 : 6 : *como porpora regale legata attorno a stanghe.* C'est aussi l'interprétation de L. Krinetzki[15] : *befestigt am Gebälk (eines Königspalastes).* G. Gerleman traduit ainsi[16] : «Les fils *(Fäden)* de la tête sont comme la pourpre royale, assujettie aux montants en bois *(an den Baümen festgemacht)*». Il croit que *dallah* évoque la chaîne à tisser dont parle Is. 38 : 12, «les fils de la chaîne sont coupés». Les fils étaient en effet reliés au cadre du métier à tisser. Gerleman en conclut que la pourpre royale serait la trame du tisserand. Mais D. Lys[17] se demande avec raison pourquoi le poète décrirait ici une semblable fixation en parlant de cheveux féminins.

Eliezer Ben Yehuda a proposé de corriger l'hébreu en lisant *mallek* ou *millek* «tes tresses»[18]. Sans correction, on traduit parfois «tresses» en vertu du contexte. Ainsi M.H. Pope : «A king captive in the tresses»[19]. Ou bien G.R. Driver qui paraphrase : «Your tresses are broided with ribbons »[20]. La traduction de Symmaque, *eilèmasin*, « enroulements, cordes » fait penser à l'histoire de Samson et de Dalila (Juges 16 : 6 ss). Dalila tisse les sept tresses de la chevelure de Samson. Le verbe *'asar* « lier » revient plusieurs fois dans ce récit ; mais il ne signifie jamais « fixer, assujettir » qui serait rendu par d'autres verbes (*kwn, rks, ḥzq*, etc.). Il faut lui garder dans Cant. 7 : 6 le sens habituel de « lier ».

Abandonnons le faux parallèle de 1 : 17 pour d'autres plus éclairants : Gen. 30 : 38 et 41, ainsi que Ex. 2 : 16 où *rhṭ* signifie « rigole, gouttière, canal » où l'eau circule rapidement pour remplir les auges et les abreuvoirs. Attesté en araméen et en syriaque, ce sens général correspond à la racine hébraïque *rwṣ* « courir » ; on parle souvent de l'eau « courante »... Cet aramaïsme a été bien rendu par la Septante, *basileus dedemenos en paradromais*, la Peshitta *brhṭ* (simple transcription), la Vulgate, *vincta canalibus*. Le Cantique des Cantiques contient bien d'autres aramaïsmes.

Est-ce à dire que la pourpre rouge serait emprisonnée dans des rigoles ? Il s'agirait peut-être de rainures, de stries ou de canelures pratiquées dans les têtes des statuettes égyptiennes et dans lesquelles on coulait de l'or et des matières colorantes pour imiter une perruque. S'il est vrai, comme le pense G. Gerleman[21], que certaines descriptions du Cantique comme celles du jeune homme (5 : 11 ss) s'inspirent de la statuaire égyptienne, il faut avouer qu'on aurait ici une façon bien subtile d'évoquer la perruque de la jeune fille.

Un texte akkadien intitulé par J. Nougayrol le « signalement lyrique » applique à une femme la métaphore de la rigole (*rāṭu*, équivalent exact de l'araméen et de l'hébreu) : « Ma mère ... est une rigole qui apporte de l'eau de délices aux plates-bandes ». Le texte hittite correspondant est ainsi traduit par E. Laroche : « Elle est comme la rigole, les eaux y courent à flot vers la glèbe »[22].

On est ainsi conduit à voir dans le pluriel *rehaṭim* (7 : 6) une métonymie pour désigner l'eau courant dans une rigole. Le ruissellement des cheveux de la jeune fille est comparé au ruissellement de l'eau. D'où la traduction ici proposée : « Un roi est lié (ou : prisonnier) dans ces ruissellements ». Ce qui rejoint la traduction de D. Lys : « Un roi est enchaîné par ces flots »[23], traduction reprise dans la *TOB*[24].

Cette imagerie n'est pas nouvelle. Déjà 4 : 1 et 6 : 5 comparent les cheveux de la jeune fille à un troupeau de chèvres qui « bouillonnent » *(glšw)* depuis le mont de Galaad. L'équivalent ugaritique *glṯ* évoque aussi l'agitation des eaux, en parallèle avec *thmt* « océans »[25]. Les touffes de cheveux *flottent* comme des chèvres qui dévalent en tous sens sur les pentes de la colline. G. Dalman note que l'araméen *glš* s'applique à une chevelure qui ondule et flotte librement[26]. De nos jours, Théophile Gautier parle de « ruisselante chevelure », tandis que Romain Rolland écrit : Sa vaste perruque blanche dont les boucles ruisselaient pesamment sur ses épaules[27].

Par ailleurs, l'image de l'emprisonnement en parlant des cheveux est un thème connu des chants d'amour égyptiens ; ceux-ci comparent les cheveux à un filet de chasse ou à un piège prêt à se rabattre[28]. Citons aussi Apulée : « *Adiuro te per dulcem istum capilli tui nodulum, quo meum uinxisti spiritum* »[29].

Mais quel est donc le roi lié ou prisonnier dans les ruissellements des cheveux de sa bien-aimée ? Certains exégètes parlent ici de travesti. C'est le marié qui serait qualifié de « roi » au moment de ses noces[30]. Remarquons cependant que jamais la jeune fille n'est appelée reine dans le Cantique. Elle reçoit bien des compliments des reines (6 : 9) ; mais on l'appelle seulement « fille de noble ou de prince » (7 : 2). Précédemment (1 : 4 et 12 ; 3 : 9 et 11), il s'agissait du roi Salomon. Il ne peut en être ainsi dans 7 : 6 puisque c'est lui qui est censé prononcer l'éloge de sa fiancée. Aussi A. Robert, suivi par quelques exégètes, serait-il enclin à voir ici une allusion implicite au roi Hiram de Tyr. Celui-ci se *lia* précisément par un traité d'alliance très durable aux deux rois David et Salomon[31]. Notons que le verbe *'asar* et son dérivé *'issur* peuvent s'appliquer à une obligation contractuelle[32]. D'autre part l'accumulation des noms géographiques à la fin de ce *waṣf* ne peut être fortuite. Ces noms évoquent les régions qui avoisinent la Palestine, c'est-à-dire l'empire salomonien pris dans sa plus grande extension (cf. p. 35). On sait par ailleurs que Tyr et Chypre faisaient le commerce des étoffes de pourpre (Ez. 27 : 7, 16).

On pourrait même se demander si le participe *'asur* n'a pas été choisi à cause de l'assonance avec Ṣor, Tyr. Il est aussi curieux de noter que les quatre consonnes du nom de Hiram se retrouvent dans le mot *rehaṭim*. Les jeux de mots sur les noms propres sont innombrables dans la Bible[33]. On a déjà vu ceux qui sont en relation avec les noms de Salomon, de David et de Moriyya (4 : 6). Le nom du Liban entraîne plusieurs jeux de mots dans 4 : 6-9 : *lebonah* « l'encens », *libbabtini*, « tu m'as pris le cœur » (tu me fais perdre le sens). On a aussi noté que le poète pourrait évoquer dans le refrain

de 2 : 7, etc. : ṣebaôt, 'ayelôt, śadeh « les gazelles, les biches des
champs », les noms divins 'elohê ṣebaôt, « Dieu des armées », et
šadday, le « Puïssant » (nom divin fréquent, en particulier, dans
le livre de Job). Il a été aussi question des allusions à l'histoire
d'Abraham ou à l'épisode de la translation de l'Arche. C'est ainsi
que les scribes, à l'époque du second Temple, aimaient, en bons
pédagogues, évoquer à mots couverts, dans un langage volontaire-
ment énigmatique[34], à double entente, l'histoire d'Israël. Ils cher-
chaient ainsi à susciter la curiosité de leur auditoire et à raffermir
l'espérance dans le cœur de ceux qui attendaient la pleine réalisation
des promesses de l'Alliance, lors de l'avènement du nouveau Salomon,
fils de David et fils d'Abraham.

*

* *

NOTES

1. Ce chapitre a fait l'objet d'une communication, le 27 août 1980, au Xe Congrès
International pour l'Étude de l'Ancien Testament, à Vienne.

2. Il y a trois autres *caph* de comparaison aux vv. 9-10. Il y en avait déjà six dans le
premier *waṣf* (4 : 1-5).

3. *talpiôt*, de la racine *lph*, « mettre en rangs », attestée en araméen et en arabe (ROBERT-
TOURNAY, p. 441 ; POPE, p. 467).

4. Cf. M. AVI-YONAH, *Mount Carmel and the God of Baalbeck, IEJ* 2 (1952), p. 121.

5. Cf. B. COUROYER, *Ceux-qui-sont-sur-le-sable : les Hériou-Shâ, RB* 78 (1971),
p. 560.

6. Cf. *RB* 85 (1978), p. 411.

7. J. BRIEND et J.-B. HUMBERT, *Tell Keisan (1971-1976). Une cité phénicienne en
Galilée* (Orbis Biblicus et Orientalis, Series Archaeologica 1), Gabalda, Vandenhoeck,
Éd. universitaires de Fribourg, 1981, pp. 226-227.

8. Cf. 2 Chron. 2 : 6-13 ; 3 : 14.

9. Du radical *dll* « suspendre » (cf. Job 28 : 4). L'éthiopien *delul* désigne la boucle qui
pendille ; de même le maltais *dliel* (J. AQUILINA, *Maltese as Mixed Language, JSSt* 3
(1958), p. 65).

10. Cf. L.B. JENSEN, *Royal Purple of Tyr, JNES* 22 (1963), pp. 104-118 ; R. GRAD-
WOHL, *Die Farben im Alten Testament, BZAW* 83 (1963), p. 72. A. van SELMS, dans
UF 2 (1970), p. 261 ; D. PARDEE, *ibid.* 6 (1974), pp. 277-278 ; J. SANMARTIN, *ibid.* 10
(1978), pp. 455-456. Sur la pourpre royale, cf. 1 Mac. 8 : 14.

11. Cf. Haupt, Horst, Winandy, etc.

12. O. LORETZ, *Das althebräische Liebeslied..., AOAT* 14/1, p. 42.

13. Cf. R. Aaron HYMAN et Arthur B. HYMAN, *Torah hakethubah vehamessurah*,
2e éd., Part III, *Hagiographa*, 1979, Tel Aviv, p. 183.

14. Cf. *Bib*, 21 (1940), pp. 276-282.

15. Cf. *Bib* 52 (1971), p. 188.

16. *Ruth. Das Hohelied*, pp. 199-200.

17. LYS, p. 264.

18. *Three Notes in Hebrew Lexicography, JAOS* 37 (1917), p. 324; ROBERT-TOURNAY, p. 267.

19. *Song of Songs*, 1977, pp. 593, 630.

20. *The New English Bible*, 1970, p. 805.

21. *Op. cit.*, p. 71. Voir ci-dessus p. 43.

22. Dans *Ugaritica* V (Mission de Ras Shamra, XVI), 1968, pp. 316, 774. Une interprétation érotique n'est pas à écarter.

23. *Op. cit.*, pp. 255, 265. LYS cite le *waṣf* publié par J.G. Wetzstein : « Sa chevelure... s'agite en vagues ». Même interprétation chez L. KRINETZKI, *Das Hohe Lied*, 1969, p. 310.

24. *Ancien Testament*, Paris, 1975, p. 1069, note *d*.

25. Cf. CAQUOT - SZNYCER-HERDNER, *Textes Ougaritiques*, I, p. 207.

26. *Aramäisch-neuhebräisches Handwörterbuch*, 1922, p. 81 a.

27. Ces textes sont cités dans *Le Petit Robert*, Dict. alphabétique et analogique de la langue française, 1968, p. 1586.

28. Citons deux textes : « Mes yeux prennent pour appât ses cheveux dans le piège prêt à se rabattre. » — « De ses cheveux, elle lance contre moi ses rêts. » (cf. S. SCHOTT, *Les chants d'amour de l'Égypte ancienne*, pp. 69, 82 ; ROBERT-TOURNAY, pp. 344, 349).

29. Texte cité par ROBERT-TOURNAY, p. 268.

30. Contre l'opinion de G. Gerleman et de D. Lys.

31. Cf. 2 Sam. 5 : 11 ; 1 Rois 5 : 15-26 ; 9 : 10-14, 26-28 ; 10 : 11, 22 ; 2 Chron. 2 : 2-15 ; F. JOSÈPHE, *Antiquités Judaïques*, 8 : 5, 3 ; *Contre Ap.* 1 : 17.18. Hiram fournit à Israël de la pourpre et du cramoisi. Tyriens et Sidoniens travaillèrent aussi à la reconstruction du second Temple sous Zorobabel (Esd. 3 : 7).

32. Cf. Nomb. 30 : 3-6, 8, 11-15.

33. Ainsi Michée 1 : 10-16 multiplie les jeux de mots avec des toponymes. L. Krinetzki a étudié les allitérations et les paronomases du Cantique (*Das Hohelied*, Düsseldorf, 1964, *passim*). Citons par exemple 4 : 2, *šekullam* et *šakulah*. Cf. F.M.Th. BÖHL, *Wortspiele im Alten Testament*, dans *JPOS* 6 (1926), pp. 196-212 ; A. STRUS, *Nomen-Omen. La stylistique sonore des noms propres dans le Pentateuque* (Analecta Biblica 80), Rome, 1978, p. 37 ; Y. ZAKOWITCH, *The Synonymous Word and Synonymus Name in Name-Midrashim*, dans *Shnaton. Annual for Biblical and Ancient Near Eastern Studies* 2 (1977), pp. 100-115 (en hébreu) ; J.T. MILIK, *Daniel et Suzanne à Qumrân ?*, dans *De la Tôrah au Messie, Mélanges H. Cazelles*, Paris, 1981, pp. 350-353 (jeux d'homonymie araméenne dans l'histoire de Suzanne).

34. Le roi Hiram fait un jeu de mot sur Kaboul dans 1 Rois 9 : 13 (cf. *RB* 64, 1967, pp. 266-267). Selon F. JOSÈPHE (*Contre Ap.* 1 : 111 ss, et *Antiq. Jud.* 8 : 50 ss), Hiram et Salomon s'écrivirent des lettres où chacun d'eux proposait des énigmes à résoudre ; il est vrai que ces lettres qui auraient été conservées à Tyr « jusqu'à ce jour » ont été sans doute forgées par Eupolème. Mais elles s'inspirent de l'histoire de la reine de Saba (1 Rois 10 : 1 ss) qui vint mettre à l'épreuve Salomon par des énigmes, et celui-ci, nous dit-on, lui donna la réponse à toutes ses questions. Sur les énigmes dans la Bible, cf. Juges 14 : 12 ss ; Ez. 17 : 2 ; Ps. 49 : 5 et 78 : 2 ; Prov. 1 : 6 ; Sira 8 : 8 et 47 : 17 ; Dan. 5 : 12 et 8 : 23.

CHAPITRE X

ALLUSIONS HISTORIQUES IMPLICITES

Ce sujet qui n'a pas encore fait l'objet d'une étude systématique mériterait de longs développements. Qu'il suffise de montrer par un certain nombre d'exemples combien les écrivains sacrés aimaient évoquer à mots couverts et par allusions plus ou moins claires les événements de l'histoire d'Israël et de ses voisins. Déjà les actions symboliques des inspirés, gestes efficaces autant que la parole, utilisaient le langage indirect et imagé d'un comportement significatif[1]. Parallèlement, on vit se développer en Israël le goût de la fable, de l'énigme, de la parabole, et pour tout dire du *mašal*, apanage des « sages »[2]. Les apologues de Yotam (Juges 9 : 8-15), de Nathan (2 Sam. 12 : 1-4), et de Joas (2 Rois 14 : 9-10) transposent des faits historiques, comme plus tard le fera Ezéchiel, devenu le maître en ce domaine de l'allégorie historique[3]. C'est ainsi que ce prophète évoque les dernières années de la monarchie de Juda et la chute de Jérusalem dans plusieurs poèmes où les commentateurs modernes ont souvent de la peine à interpréter certains éléments obscurs. Le chapitre 17 : 1-10, allégorie des deux aigles, du cèdre et de la vigne, concerne Nabuchodonosor, Psammétique II, Joiachim et Sédécias; dans l'explication qui suit (12 ss), il est seulement question de Babylone et de Jérusalem, du roi de Babylone et du Pharaon; leurs noms ne sont même pas cités. De même la complainte *(qinâ)* du chapitre 19 sur les princes d'Israël se contente d'allusions implicites à Joachaz, Joiachin et Sédécias. On pourrait aussi s'attarder longuement sur les chapitres 16 et 23 qui racontent sous forme symbolique l'histoire des deux sœurs, Jérusalem et Samarie. C'est le chapitre 20 qui raconte en clair les mêmes événements.

De telles fresques symboliques sur l'histoire inaugurent toute une littérature hébraïque et araméenne qui atteindra son apogée dans les apocalypses. Les chapitres 7 et 8 du livre de Daniel en offrent deux exemples remarquables. C'est non seulement l'histoire récente, mais tout le passé d'Israël qui sera évoqué dans la littérature midrashique et la Haggada : l'époque patriarcale, le temps de l'Exode, celui de la monarchie, l'exil et le retour de Babylone, le second Temple. Sans cesse occupés à lire et à relire les Écritures sacrées, les scribes et les prêtres apprenaient à interpréter les subtilités du texte, comme plus tard le feront les rabbins. Rappelons par exemple les discussions actuelles sur les allusions historiques que renfermerait le *pešer* d'Habacuc découvert à Qumrân : qui sont le Maître de justice, l'Homme de mensonge, le Prêtre impie ?[4]. Il est normal qu'on se soit déjà appliqué à une époque assez ancienne à cultiver ce genre allégorique, propre à exciter la curiosité et à mettre en valeur le talent et la science des interprètes officiels des Écritures. Les excès de l'exégèse allégorique, notamment pour le Cantique des Cantiques, ne doivent pas faire oublier ou négliger certains traits midrashiques décelables dans le texte même.

*

*   *

Un rapprochement significatif peut être fait avec le livre de Qohéleth (l'Écclésiaste) daté généralement du IIIe siècle avant J.-C., à une époque un peu postérieure à celle de la composition du Cantique. Le sage Qohéleth se présente comme «le fils de David, roi à Jérusalem», dans le cadre d'une fiction littéraire, et il commence par faire son autocritique dans les deux premiers chapitres de son livre. A dire vrai, cet âge d'or qu'aurait été le règne du grand roi Salomon, sage, riche, renommé, s'est achevé misérablement par la catastrophe du schisme des dix tribus dont Israël ne s'est jamais relevé. «Moi, je déteste tout le travail que j'ai fait sous le soleil et que j'abandonne à l'homme qui me succédera. Qui sait s'il sera sage ou insensé ? Il sera maître de tout mon travail que j'aurai fait avec ma sagesse sous le soleil. Cela aussi est vanité» (Qoh. 2 : 18-19). Il est possible que ce texte ait été retouché[5]. Mais précisément, cette retouche supposerait que les sages ont eu tendance à historiciser certains passages, et ceci légitimerait d'autant plus une recherche des allusions historiques. Le livre des Rois raconte comment Roboam, fils de Salomon, repoussa le conseil des anciens et exaspéra le peuple en lui promettant d'alourdir le joug qui pesait déjà sur lui au temps de son père Salomon. «Mon père vous a châtiés avec des lanières, moi je vous châtierai avec des lanières cloutées de fer» (1 Rois 12 : 14)[6]. On connaît la suite des événements...

Au moment où écrit Qohéleth, la situation des Juifs en Palestine s'est beaucoup modifiée depuis le temps d'Esdras et de Néhémie. A la prospérité et au calme relatif a succédé une ère d'insécurité avec les luttes entre Ptolémées et Séleucides. C'en est fini de l'optimisme et du lyrisme fleuri du Cantique. Qohéleth semble bien en prendre la contre-partie au début de son livre[7]. Après lui, au début du deuxième siècle avant J.-C., Ben Sira (47 : 19 ss) ne manquera pas de rappeler l'ambiguïté du personnage que fut le roi Salomon. Sage dans sa jeunesse, il profana ensuite sa race en «livrant ses flancs aux femmes». Il amena ainsi la colère sur ses enfants et leur fit déplorer sa folie. Son royaume fut scindé en deux et d'Ephraïm surgit un royaume rebelle. Salomon laissa après lui «le plus fou du peuple», jeu de mot entre *rabah* «large», suivi de *ʿam* «peuple», et le nom de Roboam, *rehabeʿam*.

Généralement datée des débuts de l'époque hellénistique, la seconde partie de Zacharie ne manque pas d'allusions à l'histoire ancienne ou récente d'Israël. On a depuis longtemps reconnu dans le début du chapitre 9 un rappel de l'expédition d'Alexandre le Grand en Syro-Palestine[8]. La suite évoque l'avènement du Roi-Messie, le nouveau Salomon, qui doit apporter la paix à la Fille de Sion. Salomon est ici idéalisé comme dans le Cantique des Cantiques, et le livre des Chroniques. On n'en est pas encore au temps de Qohéleth. La même image complaisante et optimiste apparaît, longuement développée, dans le Psaume 72, si proche du «second» Zacharie. Dédié, comme il se doit, à Salomon, ce psaume messianique s'inspire dans sa forme définitive des anciens oracles et du style de cour habituel à l'ancien Orient.

Tous ces textes de la fin du IVe siècle reflètent bien le portrait que se faisaient les Juifs, à cette époque, du roi messianique attendu. Le trait principal en était la parfaite sérénité, le comportement pacifique.

Au chapitre 11 de Zacharie, j'ai proposé de retrouver dans l'allégorie des «trois pasteurs» une allusion à la fin du règne de Salomon[9]. Le verset 9, l'un des plus énigmatiques de toute la Bible, a donné lieu à une foule d'hypothèses : «Je supprimerai les trois bergers *en un seul mois...* ». Ces trois « bergers » ne seraient-ils pas simplement Salomon, Roboam et Jéroboam ? C'est en effet dans l'espace d'un seul mois que meurt le vieux Salomon, que son fils Roboam, le fou, convoque l'assemblée de Sichem et que l'usurpateur Jéroboam installe ᐧses veaux à Dan et à Béthel. L'alliance est ainsi rompue de toutes manières (Zach. 9 : 10-11). Le schisme est désormais consommé entre les deux royaumes du nord et du sud, entre Ephraïm et Juda.

Il semble aussi possible de relever quelques allusions, dans les chapitres 12-14, à la grande figure de David, type du Messie attendu, à la geste du prophète Élie, à la mort de Josias, tué à Megiddo en 609, à la crevaison des yeux de Sédécias, le dernier roi de Juda (Zach. 11 : 17), à l'Exil et au retour de Sion[10].

C'est aussi à cette époque que pourrait se placer le processus d'historicisation du psautier. Cette tendance se manifeste surtout dans les titres « davidiques » qui introduisent treize psaumes[11]. Neuf sont rapportés à la persécution de Saül : 7, 34, 52, 56, 59, 64 et 142. Le Ps. 3 concernerait la fuite de David devant son fils Absalom. Le Ps. 18 célébrerait les victoires du roi ; le Ps. 51 se rapporterait au meurtre d'Urie, et le Ps. 60, à la campagne contre Edom. La Septante a quelques autres titres et ajoute le Psaume apocryphe 151 qui figure sous une forme double et plus développée dans le grand rouleau des Psaumes découvert dans la grotte 11 de Qumrân[12] ; cette composition s'inspire surtout de 1 Sam. 16, 1-18. Dans ce même rouleau, le « Testament de David » (2 Sam. 23) est suivi de dix lignes qui décrivent complaisamment l'activité littéraire de David. Ce dernier aurait composé 3600 psaumes et 450 cantiques, bien plus que son fils Salomon qui, selon 1 Rois 5 : 12, avait composé 1005 cantiques (5000 d'après LXX) et 3000 proverbes.

Les scribes lévitiques du Second Temple ont ainsi accéléré le processus d'historicisation du psautier, et les traducteurs juifs alexandrins les ont imités. Ainsi, le titre de la Septante, pour le Ps. 75 (hébreu 76), est « au sujet de l'Assyrien », allusion au siège de Sennachérib en 701. Effectivement, l'exégèse moderne découvre dans ce psaume des réminiscences d'Is. 37 : 20-35 ; la délivrance de Jérusalem devint le type et le symbole du salut attendu par les Pauvres de YHWH aux temps messianiques. Beaucoup d'autres allusions à l'histoire d'Israël pourraient être signalées. Citons par exemple l'épisode de Datan et d'Abiron (Ps. 55 : 16, 24 ; 140 : 11b et 141 : 7 ; cf. 106 : 17), la destruction de Sodome (Ps. 11 : 6 et et 140 : 11 a), l'enlèvement d'Élie au ciel (Ps. 49 : 16b et 73 : 24b). Il s'agit là d'allusions indirectes plus ou moins claires.

Très caractéristiques à ce point de vue est le difficile Ps. 68, cet hymne processionnel où l'on a cru distinguer un catalogue d'incipits énumérés l'un après l'autre comme dans les catalogues assyro-babyloniens. Mais une étude approfondie des sources de ce psaume permet d'y voir plutôt une grande fresque lyrique de l'histoire d'Israël sous forme de rétrospective historique. On y retrouve les grandes étapes de l'histoire du peuple de Dieu[13].

C'est d'abord le signal de la procession liturgique : l'apostrophe de Moïse à l'Arche dans le désert (Nomb. 10 : 35-36; cf. Is. 33 : 3). Bien entendu, il peut s'agir d'une procession commémorative après la disparition de l'Arche dans la tourmente de 586 et la destruction du Temple. Il est possible qu'au v. 18[14], « les deux milliers de myriades » *ribbotayim alfê* correspondent aux « milliers de myriades » *(ribebôt alfê)* dont parle l'apostrophe de Moïse dans un texte hébreu malheureusement mal conservé et qui a sûrement été retouché. Le psaume évoque la sortie d'Égypte et la marche du désert avec la théophanie sinaïtique (5-11) et aussi une allusion à la manne et aux cailles (v. 10). La victoire de Débora et de Baraq, au temps des Juges, est évoquée aux versets 12-14; le v. 14 reprend le cantique de Débora, Jug. 5 : 16 (exemple de style « anthologique »). On peut trouver au v. 15 une allusion à la destruction de Sichem par Abimélech (Juges 9 : 46-49), avec le Mont-Sombre (Salmôn) qui domine Sichem et la neige qui fait penser au sel semé sur les ruines de Sichem (cf. Ben Sira 43 : 18-19)[15]. Comme dans le Cantique (2 : 14 etc.), la « colombe » est un symbole d'Israël (voir p. 68). Le choix de Sion comme demeure divine est mentionné aux versets 16-17, la montée de l'Arche à Sion et les victoires de David sont évoquées aux versets 18-21. La mention des myriades de chars, au v. 18, fait penser à la charrerie de Salomon; 1 Rois 10 : 26 parle de 1400 chars et de 12 000 cavaliers tandis que 1 Rois 5 : 6 mentionne 4000 stalles (ou attelages); mais 2 Chron. 9 : 25 ne parle que de 4000 (voir p. 41). De toute façon, le règne de Salomon n'est pas particulièrement célébré par le psalmiste ! Les versets 23-24 semblent rappeler les prédictions du prophète Élie sur la mort des rois Achab et Joram ainsi que celle de la reine Jézabel. Les processions et les chœurs, aux versets 25-28, avec les tribus de Benjamin, Juda, Zabulon et Nephtali, peuvent évoquer la célèbre pâque d'Ezéchias (2 Chron. 30 : 1 ss, où Zabulon est nommé aux vv. 10, 11 et 18).

La fin du Ps. 68 correspond aux conceptions universalistes des
parties postexiliques du livre d'Isaïe, annonçant la montée des rois
païens pour adorer le vrai Dieu à Jérusalem. Mais en même temps
on menace l'Égypte, la « bête des roseaux ». Elle, qui avait jadis
opprimé les Hébreux, continue à le faire. Les vv. 31-32 ont dû être
retouchés sous la pression d'événements graves comme le fut la
déportation massive de Juifs en Égypte par Ptolémée Soter vers 320.
On aurait là le *terminus ad quem* pour la rédaction définitive du
Ps. 68. Il est vrai que cette « bête des roseaux » pourrait être aussi
le buffle du lac Houleh, identique au Béhémot du livre de Job ; il
s'agirait alors de la Syrie des Séleucides, l'ennemie du nord[16]. Nous
voici encore reportés à l'époque du « second » Zacharie et des
Chroniques, quelques décennies après le temps de composition
présumé du Cantique des Cantiques.

*

*   *

On sait combien les noms propres de personnes ou de lieux se
prêtent facilement en hébreu aux jeux de mots. C'est ainsi que
dans la Genèse, par exemple, une soixantaine de noms propres de
personnes donnent lieu à des jeux de mots significatifs ou à des
paronomases plus ou moins réussies. Il suffit de parcourir le livre
récent de A. Strus, *Nomen-Omen*[17]. On sait aussi combien les scribes
s'ingéniaient à camoufler et à ridiculiser les noms des divinités
païennes. Il en fut ainsi de certains noms particulièrement odieux à
Israël. Ainsi celui de Nabuchodonosor, en hébreu *Nebukadneṣṣar*.
Le mot *neṣer* « rameau » dans la cantilène sur la mort d'un roi
assyro-babylonien (Is. 14 : 18) peut rappeler la fin du nom de celui
qui détruisit Jérusalem et le Temple en 587 ; les versions ont lu ici
neṣel « avorton ». Ce mot est suivi du qualificatif « dégoûtant ». Les
versions modernes ont noté cette allusion[18]. La fréquence du mot
ṣar « ennemi, adversaire » dans le rouleau des cinq Lamentations
pourrait s'expliquer de la même façon. Ce mot revient à trois
reprises dans la première grande lamentation nationale du psautier :
Ps. 44 : 6, 8, 11. La plupart des commentateurs rapportent ce
psaume à la catastrophe de 587.

C'est au nom hébreu de Babylone, *Babel*, qu'il faut penser quand
le Cantique de Moïse (Deut. 32 : 21) parle de nation « folle »,
nabal[19] ; il peut en être de même dans Ps. 74 : 18 : « Un peuple *fou*

outrage ton nom[20]. Le procédé de l'*atbaš* a permis de transposer *Babel* en *Šešak* (Jér. 25 : 26; 51 : 41). De même *kaśdim* (Les Chaldéens) devient *leb qamaÿ* « le cœur de mes adversaires » (Jér. 51 : 1). De telles cryptographies ne sont pas rares dans les écrits rabbiniques. Ceux-ci parlent d'Amalec ou d'Edom pour désigner les ennemis du peuple juif et de sa foi. Déjà le psautier offre quelques exemples de retouches graphiques intentionnelles. On a déjà signalé le Ps. 68 : 31-32. Ajoutons le Ps. 80 : 14 où la « forêt » est devenue « le Fleuve », c'est-à-dire le Nil d'Égypte, grâce à l'omission de lettre ʿaïn écrite « suspendue », au-dessus de la ligne, dans les manuscrits massorétiques[21]. La Mishna croit qu'il s'agit d'indiquer ici le milieu du psautier, mais le véritable milieu se trouve entre les versets 35 et 36 du psaume 78.

Le dernier mot du Ps. 123 : 4, *lg'ywnim*, a été coupé en deux par le *qerê*, indiquant qu'il faut lire *lg'y ywnym* « pour les orgueilleux des oppresseurs », *ywnym* pouvant être lu aussi *yewanim* « les Grecs »; il s'agit sans doute ici d'une retouche d'époque maccabéenne pour évoquer Antiochus Épiphane[22].

Il est possible qu'une allusion historique explicite ait été occultée par suite d'une retouche textuelle, intentionnelle ou non. En voici un exemple à vrai dire peu connu. Dans la « prière » d'Habacuc 3 : 11, la phrase « le soleil et la lune se sont arrêtés dans leur demeure » rappelle sans doute Josué 10 : 12-13. Déjà le v. 10 parle de trombe d'eau et de tonnerre. Il s'agit d'un orage violent. C'est pourquoi il est possible de voir ici une allusion à la bataille de Gabaon, quand Israël écrasa les Amorites. Il suffit de considérer *'mr* avant le mot *séla* (Pause), au v. 9b, comme une graphie défective de *'mry* « amorite »[23]. On peut alors traduire : « Tu rassasies de traits l'Amorite », allusion aux énormes grêlons dont parle le récit de Josué. Le texte hébreu d'Habacuc a été retouché en vue de l'usage liturgique pour la fête de la Pentecôte, Shavuôt « les Semaines », commémoration du don de la Torah au mont Sinaï. D'où la teneur actuelle du texte massorétique : « Ton arc est mis à nu, des serments, épieux de la Parole (*'mr*) ». Ou bien « Les paroles des serments sont des épieux »[24]. Ou encore : « Tu conjures les javelots avec des paroles »[25]. On a conjecturé d'après un manuscrit grec : « De flèches tu rassasies sa corde »[26]. La relecture liturgique a rendu obscur le texte hébreu original en transformant le verbe « tu rassasies » *šbʿt* en *šbʿwt* « serments » ou « semaines » : la Pentecôte est la fête des Semaines. Dans le texte primitif, on faisait seulement allusion à la victoire de Gabaon, après avoir évoqué l'Exode, depuis le Sinaï vers Canaan par le sud-est de la Palestine.

Il y a donc des allusions historiques implicites dans toute la Bible. Mais il est souvent difficile de les préciser avec certitude[27]. Nous ne connaissons pas le texte biblique et l'histoire biblique aussi bien que les scribes ou leurs auditeurs qui bénéficiaient encore de traditions orales perdues pour nous. La prudence s'impose donc en ce domaine ; mais il serait déraisonnable de nier *a priori* la possibilité de telles allusions comme celles que nous avons cru déceler dans le Cantique des Cantiques, à une époque où les hagiographes avaient tendance à les multiplier.

*

* *

NOTES

1. 1 Rois 11 : 29 ; 22 : 11 ; Is. 20 : 2 ; Jér. 13 ; 18 ; 27 ; 28 ; Ez. 4 ; 12 ; 24 ; 37, etc.

2. Sur l'énigme, cf. J. L. CRENSHAW, *Questions, dictons et épreuves impossibles*, dans *La Sagesse de l'A. T.* (Bibl. Ephem. Theol. Lovan. 51), 1979, pp. 96-111. Sur le mašal aux formes les plus variées, cf. A. GEORGE, art. *Parabole, DBS* 8 (1960), col. 1149-1155.

3. Cf. W. ZIMMERLI, *Ezéchiel* (*BKAT* XIII/1), 1969, pp. 46*-47*, 343, 378.

4. Cf. MURPHY-O'CONNOR, recension de B.E. THIERING, *Redating the Teacher of Righteousness*, 1979, dans *RB* 87 (1980), pp. 425-430.

5. Cf. A. LAUHA, *Kohelet*, 1978, pp. 42, 55.

6. Littéralement « des scorpions ».

7. Cf. R. TOURNAY dans *RB* 69 (1962), p. 605. Qoh. 4 : 13-16 a été rapproché de l'histoire de Joseph (Gen. 42 : 6), ou de celle de David (1 Sam. 18 : 23), ou encore des successions dynastiques des rois séleucides. Nous ne pouvons préciser (cf. A. LAUHA, *Kohelet*, 1978, pp. 92-93 ; G.S. OGDEN, *Historical Allusion in Qoheleth*, IV, 13-16, dans *VT* 30 (1980), pp. 309-315 ; N. LOHFINK, *Kohelet* (Die Neue Echter Bibel), 1980, p. 39). On a vu aussi dans Qoh. 10 : 16 une allusion à Ptolémée V Épiphane qui monta sur le trône à l'âge de cinq ans en 205 (cf. N. LOHFINK, *op. cit.*, p. 78).

8. M. DELCOR dans *RB* 63 (1956), pp. 178-181 ; F.-M. ABEL dans *RB* 49 (1935), p. 54. Le Ps. 29 pourrait se référer au même contexte historique, s'il n'est pas un psaume archaïque mais archaïsant. Les armées d'Alexandre se contentèrent de traverser la Palestine (cf. R. TOURNAY, *El Salmo 29 : estructura e interpretacion, Ciencia Tomista* 106 (1979) = *Festschrift Colunga*, p. 750).

9. Cf. R. TOURNAY, *Zacarias 9-11 e a Historia de Israel*, dans *Atualidades biblicas*, Ed. Vozes, Petropolis, 1971, pp. 331-349.

10. Cf. R. TOURNAY, *Zacharie XII-XIV et l'histoire d'Israël*, dans *RB* 81 (1974), pp. 355-374.

11. Voir R. TOURNAY, etc., *Les Psaumes (BdJ)*, 3e éd., 1964, p. 17 ; E. SLOMOVIC, *Toward an Understanding of the Formation of Historical Titles in the Book of Psalms*, *ZAW* 91 (1979), pp. 350-380 ; J. KÜHLEWEIN, *Geschichte in den Psalmen*, Calwer Verlag, Stuttgart, 1973.

12. J.A. SANDERS, *The Psalms Scroll of Qumran Cave 11 (11Q Ps^a)*, Discoveries in the Judaen Desert of Jordan, IV, 1965.

13. Voir les notes des *Psaumes (BdJ)*, 3e éd., pp. 289-295.

14. L'hébreu *šine'an* « répétition » (selon l'araméen) est traduit « tranquille » dans la Septante qui a lu *ša'anan* (avec 1 ms. hébreu). Syr traduit « armée » *(dhyl')*. On rapproche l'ugaritique *tnn*, sorte de soldat, archer ? (CAQUOT-SZNYCER-HERDNER, *Textes Ougari-tiques*, I, 1974, p. 517 ; cf. *RB* 75, 1968, p. 438).On rapproche aussi l'arabe *sana* « briller » (J. GRAY dans *JSSt* 22 (1977), p. 2).*TOB* et CAQUOT traduisent : « Deux myriades d'escadrons flamboyants ».

15. Cf. R. TOURNAY, *Le Psaume LXVIII et le livre des Juges*, *RB* 66 (1959), pp. 358-368.

16. Voir B. COUROYER, *Le « glaive » de Béhémoth : Job XL, 19-20*, *RB*, 84 (1977), p. 59.

17. Analecta Biblica 80, Rome, 1978 (voir ci-dessus, p. 97 et note 33). Cf. aussi L. ALONSO-SCHÖKEL, art. *Poésie hébraïque*, *DBS* 8, col. 60.

18. Ainsi *TOB*, p. 782, note *i*, après *BdJ*, p. 1108, note *a*. H. WILDBERGER (*Jesaja*, BKAT X/2, p. 542) juge cette allusion incertaine.

19. R. TOURNAY dans *RB* 67 (1980), p. 122. Le Targum du Pseudo-Jonathan et le Midrash identifient déjà le peuple fou aux Babyloniens (cf. S. CARRILLO ALDAY, *El Cantico de Moises (DT 32)*, Madrid, 1970, p. 92).

20. *Les Psaumes*, 3e éd., p. 317, note *l*.

21. H.-J. KRAUS (Psalmen I, 1960, p. 559) mentionne l'hypothèse selon laquelle il s'agirait de l'expédition du pharaon Néchao au temps du roi Josias.

22. Cf. déjà E. KÖNIG, *Die Psalmen*, 1927, p. 362.

23. Cf. R. TOURNAY, *RB* 72 (1965), p. 428 ; *ibid.* 77 (1970), p. 624 ; 80 (1973), p. 300. P. JÖCKEN (*Das Buch Habakuk, BBB* 48, 1977, pp. 352-353, 356) mentionne cette hypothèse.

24. C'est l'interprétation de la *TOB*, p. 1201 et note *l*. Même ambiguïté dans Jér. 5 : 24 ; cf. H. WEIPPERT, *Schöpfer des Himmels und der Erde* (Stuttgarter Bibelstudien 102), 1981, pp. 91-92.

25. C.-A. KELLER, *Nahum, Habacuc, Sophonie*, 1971, p. 172.

26. *BdJ*, 1973, p. 1377, note *c*.

27. On a pu voir dans Prov. 28 : 12, 15, 16, 17, 21, des allusions au temps de Jézabel et d'Athalie ainsi qu'aux intrigues qui marquèrent les règnes éphémères des derniers rois d'Israël (*TOB*, p. 1574, note *v*). Osée évoque dans 7 : 3 ss cette sombre époque. On a même vu dans Os. 13 : 10 une allusion au roi Osée (732-724) dont le nom signifie « YHWH sauve » : « Où donc est-il ton roi pour qu'il te sauve ? » (cf. *BdJ*, p. 1334, note *f*).

CHAPITRE XI

POLYSÉMIE ET DOUBLE ENTENTE

Dans les chapitres précédents, nous avons cherché à montrer comment le texte hébreu du Cantique des Cantiques se prête à une lecture ambivalente, objectivement fondée. La condition préalable est de considérer le Cantique comme il se présente dans la tradition judéo-chrétienne, c'est-à-dire comme un livre « biblique ». Un *double registre* y est alors perceptible, comme d'ailleurs dans tant d'œuvres poétiques de l'Orient ancien et moderne. L'amour humain, entre homme et femme, s'y trouve exprimé dans sa réalité la plus charnelle, exactement comme dans les chants d'amour profanes égyptiens, arabes ou autres, mais dans un langage qui reprend celui de l'Amour divin, le langage de l'Alliance davidique et messianique, ce qui suggère un second registre.

Cet écrit raffiné, sophistiqué, au vocabulaire savant et difficile, aux effets sonores si délicats, recèle deux registres qui, loin de s'exclure mutuellement, s'imbriquent et se compénètrent de façon quasi indissoluble. Ce n'est pas à tort que les Pères de l'Église et les théologiens y ont vu une pierre d'attente à la doctrine paulinienne sur le mariage.

Un rapide coup d'œil sur les récents commentaires permet de constater que l'exégèse moderne a depuis longtemps reconnu la complexité du problème herméneutique posé par le Cantique. M.A. van den Oudenrijn[1] et G. Nolli[2] ont admis le double sens du Cantique des Cantiques. J. Angénieux[3] pense que ce chant d'amour avait dès sa première fixation par le poète le double sens littéral. P. Grelot a parlé de sens littéral plénier[4] ; selon lui, l'éditeur inspiré a déjà rattaché intentionnellement ce sens plénier au texte des poèmes d'amour en fonction du symbolisme prophétique du mariage : « Comment la transmission de ces chants d'amour dans le peuple juif, surtout si leur origine est salomonienne, a-t-elle pu se faire sans subir l'influence latérale du symbolisme attaché à l'amour par la théologie prophétique ? Comment leur édition en tant que livre sacré a-t-elle pu se faire sans que ce symbolisme ait aucune part à la détermination de leur sens ? Le cas du Cantique n'est-il pas celui où le problème du rapport entre l'Écriture, vue au niveau de sa composition originelle, et la tradition interprétative où sa portée a acquis une maturation progressive, se pose avec le plus d'acuité ? On dira que ce problème est plus théologique qu'exégétique. Mais qu'est-ce alors que l'exégèse en tant qu'herméneutique de la Parole de Dieu ? »[5].

La symbolique de la terre-épouse et de la femme-cité s'enracine profondément en milieu mésopotamien et syro-cananéen. Il est inutile de citer ici les textes bien connus de la littérature sumérienne, assyro-babylonienne, ugaritique, si souvent rapprochés des oracles d'Osée, de Jérémie (ainsi Jér. 3 : 1), du livre d'Isaïe (ainsi Is. 62 : 4). Le thème de la femme-cité a déjà été évoqué ci-dessus (p. 35). L'éditeur ou rédacteur définitif du Cantique des Cantiques ne pouvait éviter de replacer ce texte dans le contexte traditionnel et de le présenter à la communauté juive, aux pieux habitants de Jérusalem, au personnel du Temple, à la lumière des autres Écritures sacrées, et cela dès l'adoption officielle par les responsables du livret actuel.

C'est ainsi, par exemple, qu'une telle ambivalence devenait possible pour Cant. 5 : 1 : « Buvez, enivrez-vous, chéris ». Certains commentateurs ont pu parler ici d'ivresse spirituelle et cru discerner une allusion à l'oracle d'Is. 55 : 1 (et parallèles). On était ainsi conduit à transposer l'invitation du Cantique dans la perspective du festin eschatologique dont parlent Is. 25 : 6 ; 65, 13 ; Zach. 9 : 17 et quelques psaumes (22 : 27 ; 23 : 5 ; 36 : 9). Outre plusieurs textes de Philon, on peut citer ici un passage de la onzième Ode de Salomon : « Je me suis enivré des eaux vivantes et immortelles, et mon ivresse n'a pas été irraisonnable ». Un fragment d'hymne liturgique, dans le Papyrus Bodmer XII, semble faire allusion à Cant. 5 : 1 : « Buvez du vin, fiancée et fiancé »[6]. Quant à S. Paul, il recommande aux chrétiens de ne pas *s'enivrer de vin* où l'on ne trouve que libertinage, mais de chercher dans l'Esprit leur *plénitude* (Eph. 5 : 19). On sait que le thème de l'ivresse spirituelle se trouve évoqué de façon subtile et indirecte dans les poèmes arabes d'Ibn-Farid (1182-1235) et d'autres mystiques musulmans, sur le vin et l'amour[7].

*
*   *

Le débat, souvent passionné, qui se poursuit entre exégètes, pourrait trouver une solution acceptable dans la mesure où on ne considère pas le Cantique comme une allégorie ni même comme une parabole, mais où on lui reconnaît un sens « messianique » : de Salomon avec son épouse égyptienne, on passe au Salomon attendu par la Fille de Sion. Le Xe siècle avant J.-C. fait alors place au IVe siècle. Le souvenir idéalisé du grand monarque suscite l'espérance dans le Roi pacifique de l'avenir. C'est ainsi que, tout au long du Cantique, dans sa teneur définitive, on passe d'un registre à l'autre.

La personnalité même du roi Salomon se prêtait à de telles ambiguïtés. Ce roi « pacifique » est aussi le type des sages en Israël pour les annalistes et les lettrés qui lui attribuent les écrits didactiques, le livre des Proverbes, Qohéleth et le livre de la Sagesse. La tentation était donc grande de considérer le Cantique des Cantiques comme un écrit de sagesse, enseignant la bonté et la valeur de l'amour. Un certain nombre d'exégètes insistent sur cet aspect didactique[8]. De fait, la personnification féminine de la Sagesse est un motif traditionnel dans la pensée juive. Déjà Prov. 4 : 6-9 présente la Sagesse comme une épouse qu'on aime et qu'on étreint. Dans Prov. 7 : 4, le maître engage son disciple à dire à la Sagesse : « Tu es ma sœur », terme qui désigne la bien-aimée aussi bien dans le Cantique que dans les chants d'amour égyptiens. De même dans Ben Sira 15 : 2, la sagesse vient à la rencontre du Docteur de la Loi comme une mère et l'accueille comme une épouse vierge (hébreu : épouse de sa jeunesse). Dans le livre de la Sagesse 8 : 2, Salomon déclare à propos de la Sagesse : « Je l'ai aimée et recherchée dès ma jeunesse, j'ai cherché à en faire une épouse et je suis devenu l'amant de sa beauté »[9].

C'est le même thème qui est développé dans le poème acrostiche de Ben Sira 51 : 13-30[10]. On y trouverait des expressions à double entente pouvant s'appliquer aussi bien à la Sagesse et à la piété qu'à l'étreinte physique et à l'érotisme, du moins dans la première partie, car la seconde (23-30) est une exhortation à rechercher la sagesse. Dans le rouleau des Psaumes de la grotte 11 de Qumrân, ce poème se trouve entre le Ps. 138 et l'Apostrophe à Sion (colonnes 21-22). Le texte hébreu diffère assez de celui qui nous a été conservé dans un manuscrit découvert dans la Guéniza du Caire ; l'ordre des versets y est troublé : le v. 15, placé entre les vv. 13b et 13c, est suivi de 16b, et 16a a disparu. La traduction de la Septante a été faite peu après 117 avant J.-C. sur un texte hébreu antérieur d'un siècle au moins à celui de Qumrân ; mais ce texte hébreu a subi des retouches, car le grec, aux versets 18-20, n'a plus que huit hémistiches au lieu de dix dans l'hébreu de Qumrân, et le texte est assez différent de part et d'autre ; il n'y a plus d'ambiguïté dans la Septante. On a donc intérêt à traduire très exactement le texte hébreu de Qumrân qui est supérieur aux deux autres témoins de ce poème dont l'authenticité a d'ailleurs été contestée, car il peut s'agir d'un appendice au livre de Ben Sira :

13 Quand j'étais un jeune homme,
   avant d'errer je l'ai recherchée.
14 Elle est venue à moi dans sa beauté
   et jusqu'à la fin je la poursuivrai.
15 Que la fleur se fane quand mûrissent les raisins,
   le cœur est dans la joie.
   Mon pied chemine sur le sol uni,
   car dès ma jeunesse je l'ai connue.
16 J'ai un peu incliné mon oreille
   et j'ai trouvé en abondance la doctrine.
17 Elle fut pour moi un joug (glorieux)
   et à qui m'enseigne je rends les honneurs[11].
18 Je me proposai avec plaisir d'être zélé pour le bien
   et je n'y renoncerai pas.
19 J'enflammai mon désir envers elle
   et je n'en détourne pas mon visage.
   J'excitai[12] mon désir envers elle
   et sur sa hauteur je ne me relâcherai pas.
   Ma main a ouvert (son portail)
   et j'ai eu l'intelligence de ses secrets.
20 Je purifiai mes paumes (pour elle)
   (et dans sa pureté je l'ai trouvée).
   (Avec elle, dès le début, j'ai reçu l'intelligence,)
   c'est pourquoi (je ne serai pas délaissé)[13].

Remarques.

— On a rapproché le v. 15 de la Mishna (*Nid.* 5 : 7) où les sages comparent la croissance sexuelle des femmes aux trois étapes de la maturation des figues *(pagga, bohal; semel)*. — Au lieu de traduire ʿlh par «joug», au v. 17b (comme dans 26a et Ben Sira 6 : 30), on propose de traduire « nourrice » ; mais dans la Bible, le mot désigne une bête qui allaite, et jamais une femme. Comme ce stique est court, on est tenté de suivre le ms. du Caire qui ajoute *kbwd* « gloire » en parallèle avec *hwd'h* et fait de *'lh* (masculin) le sujet de *hyh* « est » ; dans le ms. de Qumrân, le verbe *hyth* a pour sujet féminin la sagesse, sous-entendue. — Prov. 5 : 13 semble avoir inspiré 16a et 17b : « Je n'ai pas écouté la voix de mes maîtres et je n'ai pas incliné l'oreille à ceux qui m'enseignaient ». — On note que *lqḥ* « doctrine » peut figurer dans un contexte de séduction comme dans Prov. 7 : 21 et 16 : 21.

On insiste sur la fin du v. 19 qui contiendrait un euphémisme : « Ma main a ouvert son portail », en raison de l'ambiguïté du mot *m'rmyh* « parties cachées, nudité » (2 Chron. 28 : 15) ou « secrets » (Ben Sira 42 : 18). Le mot *rwmyh* (19d) « exaltation », d'où « hauteur », a été aussi compris « orgasme » ; mais le poète peut s'inspirer de Prov. 8 : 2 « au sommet des hauteurs... elle se poste ». On a d'ailleurs noté que le vocabulaire de ce poème est proche de celui de Prov. 8 : 2-6. Au lieu de *brwmyh* « sur sa hauteur », le ms. du Caire a « pour toujours », et la Septante, « vers le haut ».

Complété par le ms. du Caire et la LXX, la v. 20 a deux sens possibles : « en me gardant pur (dans *la* pureté), je l'ai trouvée » ; ou bien : « je l'ai trouvée dans *sa* purification », c'est-à-dire « sans souillure sexuelle », ou « encore vierge ».

Le v. 21 conservé dans le ms. du Caire se traduit : « Mes entrailles se sont émues à sa recherche comme un four »[14]. Ce qui rappelle Cant. 5 : 5 : « Mon chéri a passé la main par la fente, et pour lui mes entrailles se sont émues ». Le grec n'a pas la comparaison « comme un four », mot sans doute ajouté par suite d'une fausse lecture *ḥmm* au lieu de *hmm*.

Comme on le voit, rien n'oblige à donner à telle ou telle expression un sens érotique. Il n'est pas non plus indiqué de voir des euphémismes dans « mon pied, ma main, mes paumes ».

Le texte de Qumrân ne mentionne pas explicitement la Sagesse qu'il présente ici comme une personnification féminine (le ms. du Caire ne la nomme qu'au v. 25). Cependant, la passion du disciple envers la Sagesse est assimilée à celle d'un homme pour une femme comme dans les autres textes bibliques. Dame Sagesse peut ainsi célébrer ses « noces »...

On a vu dans les descriptions de l'épouse légitime (Prov. 5 : 15 ss) et de la parfaite maîtresse de maison (Prov. 31) des descriptions symboliques de la Sagesse personnifiée. Les sages d'Israël aimaient emprunter à la poésie amoureuse certains traits qu'ils appliquaient

à Dame Sagesse. C'est ainsi, par exemple, que T. Sheppard[15] a
rapproché de Ben Sira 24 : 13 ss plusieurs versets du Cantique où
se retrouvent les mêmes motifs : jardin, arbres, parfums, fontaines,
Liban, fleurs, fruits. G. Gerleman[16] a rapproché du Cantique la
description de Dame Sagesse sous les traits d'une femme dans les
hymnes des *Actes de Thomas*.

L'exégèse rabbinique, rappelons-le, ne voit aucune difficulté
à admettre une multiplicité de sens dans la Bible. Selon le Ps. 62 :
12, Dieu peut dire deux choses en une seule parole : « Une fois
Dieu a parlé, deux fois j'ai entendu ». Les rabbins distinguent
généralement trois sens : *pešat*, « simple, direct » ; *deraš*, « appliqué,
homilétique » ; *sod*, « mystique »[17]. Quoi qu'il en soit de ces conceptions rabbiniques, on ne peut nier que les symboles et les métaphores
soient polyvalents de par leur nature même. Toute vraie poésie
comporte de multiples harmoniques. Si un poème d'amour peut se
muer en écrit de Sagesse, il peut se muer aussi en écrit à résonance
messianique. C'est au lecteur qu'il appartiendra de pencher dans un
sens ou dans un autre. L'important sera de maintenir la possibilité
du *double entendre*. Sans tomber dans la subtilité ou l'ésotérisme,
il est raisonnable de ne pas réduire le Cantique des Cantiques a
n'être qu'une idylle champêtre ou un poème érotique.

*
*   *

Est-il besoin de rappeler que les sages d'Israël recherchaient
volontiers des expressions ambiguës et polyvalentes pour exciter
la curiosité du lecteur. On pourrait ici multiplier les exemples.

Dans Cant. 2 : 12, *zamir* peut se comprendre « chant » ou bien
« taille de la vigne » (cf. p. 69)[18]. Dans Prov. 8 : 30, le mot *'amun*
peut se traduire « maître d'œuvre, architecte » ou bien « enfant
chéri, infante » selon qu'on pense à l'édification du cosmos ou plus
simplement aux ébats de la petite fille Sagesse devant son père, le
Créateur. Aucun de ces deux sens n'est à exclure[19].

Dans Qoh. 3 : 11, le mot *'olam* a été compris de diverses façons :
durée, éternité, monde, chose cachée et secrète, ignorance. Tous ces
sens peuvent se réclamer de l'usage ou de l'étymologie. *'olam* désigne
ordinairement une durée indéterminée et l'interprétation dépend
ici de l'antécédent qu'on donne à *blbm* « dans leur cœur ». S'il s'agit
des hommes, on dit que Dieu leur donne une certaine compréhension

des événements, un certain sens et une vue partielle de l'histoire du monde. Mais le contexte suggère plutôt la durée des êtres créés par Dieu qui a fait toute chose belle en son temps et a donné à tout cela, au fond de ces êtres, une certaine permanence, une continuité dans le devenir; c'est vrai aussi bien de l'humanité que du reste de la nature[20].

Au chapitre 12 du livre de Qohéleth, la vieillesse est décrite par une suite d'images et de métaphores parfois déconcertantes. Les commentateurs sont très divisés sur leur signification. L'exégèse rabbinique aime y voir une allégorie physiologique où il serait question des bras, des genoux, des dents, des yeux, du cœur, du désir sexuel. D'autres interprètes maintiennent que le texte doit être entendu au sens littéral direct. D'autres enfin admettent que le poème agrémente sa description d'un va-et-vient incessant de métaphores. Il faut sans doute se garder d'exclure ici *a priori* telle ou telle interprétation et laisser le lecteur goûter comme il l'entend ce chef-d'œuvre unique[21]. Notons que *bwr'yk*, généralement traduit « ton créateur », évoque *bwr* « la fosse, la tombe », à la fin du v. 6.

Les deux premiers discours d'Eliphaz, aux chapitres 4 et 5 du livre de Job, contiennent des mots et des expressions susceptibles de double entente. Le fait a été signalé depuis longtemps par K. Fullerton et vient d'être à nouveau étudié par Y. Hoffman[22]. Ainsi les mots *yir'ateka* et *kislateka* (4 : 6) sont ambigus et peuvent se comprendre « ta piété » ou « ta peur », « ta sottise » ou « ton espérance ». De même dans 4 : 8 et 5 : 6, *'awen* et *'amal* peuvent se comprendre « peine » ou « péché ». On peut traduire de deux façons 4 : 17 : « Le mortel est-il plus juste que Dieu », ou bien « Le mortel est-il juste devant Dieu », ce qui donne au passage un sens tout différent. Dans 5 : 2, *ka'as* peut se comprendre « dépit » ou « offense ».

Les historiographes ne craignaient pas d'utiliser des termes ou des expressions ambiguës[23]. En étaient-ils même toujours conscients ? Il est permis d'en douter. Dans 1 Chron. 15 : 22 et 27, le mot *massa'* peut avoir plusieurs sens. S'agit-il pour Kenanyahu, le chef des Lévites, de diriger le transport de l'Arche, ou d'élever la voix (comme l'a compris la Septante) en donnant le ton, ou même de prononcer une sentence prophétique ? On sait que l'activité des Lévites chantres est souvent définie comme une activité inspirée par l'Esprit de YHWH et quasi-prophétique[24]. Dans les livres prophétiques, le mot *massa'* sert de titre à beaucoup d'oracles (Is. 13 : 1, etc.). Comme il dérive du verbe *nasa'* « élever », il peut signifier une élévation de la voix, une proclamation; mais aussi «une charge à porter». Jérémie 23 : 33-40 exploite à fond cette ambiguïté : «fardeau» (sens littéral), «oracle» (sens figuré)[25].

L'oracle de Mic. 5 : 2 : «Il les *livrera* jusqu'au temps où enfantera celle qui doit enfanter» a été rapproché du fameux oracle de l'Emmanuel (Is. 7 : 14) : «C'est pourquoi le Seigneur vous *donnera* un signe...». On a remarqué à juste titre que le verbe *ntn* se prête ici à un jeu de mot : donner/livrer[26].

Dans Is. 55 : 3, l'expression *ḥasdê David* peut se comprendre «les bienfaits de David», c'est-à-dire «les témoignages de sa piété» (cf. 1 Mac. 2 : 57), comme pour Ezéchias (2 Chron. 32 : 32) ou Josias (*ibid.*, 35 : 26); ou bien «les grâces faites à David» (comme dans le Ps. 89 : 50 et 2 Chron. 6 : 42). Les deux sens sont possibles et ne s'excluent pas[27]. L'exégèse moderne reconnaît la polyvalence de thèmes comme ceux de l'Emmanuel ou du Serviteur de YHWH qui ont donné lieu à tant d'interprétations et dont on n'aura jamais fini d'évaluer et d'explorer la complexité. Il n'est pas téméraire de penser que les inspirés d'Israël ont cultivé de tout temps de telles ambiguïtés. Leurs homologues païens cultivaient systématiquement l'énigme et la double entente, afin d'éviter d'être convaincus de mensonge ou d'erreur.

Ajoutons quelques exemples tirés du psautier. Le verbe *šub* «revenir, retourner, etc.» se prête à bien des significations selon ses diverses formes verbales, jusqu'à n'être plus qu'un simple auxiliaire de réitération[28]. L'équivoque est alors fréquente. Ainsi dans Ps. 60 : 3b, on peut traduire «tu nous ramèneras / tu nous feras revenir / tu nous restaureras, etc.» avec allusion au retour de l'Exil de Babylone. Mais si on restitue le *waw* conversif avec des manuscrits hébreux et la Septante, on peut traduire par le parfait «tu nous as fait tourner le dos / tu nous as fait échapper / tu nous as disloqués, etc.», avec allusion à la fuite dont il est question au v. 6; c'est le sens de cette forme verbale dans Ez. 38 : 4, 8 et 39 : 2. On est en droit de se demander si le psalmiste n'a pas choisi à dessein ce verbe à double sens. Il multiplie en effet dans le Ps. 60 les jeux de mots. Au v. 5, *qašah* «dur» ressemble à *qošeṭ* «arc» ou «archer», ou en araméen «vérité»[29]; à la fin du v. 6, il y a un jeu de mot avec le verbe suivant *hišqîtanû* «tu nous as abreuvés». Au v. 6, *nes* «signal» et *hitnoses* «s'enfuir / zigzaguer, osciller en tous sens» (cf. Zach. 9 : 16)[30] forment une paronomase, comme *Édom* (v. 11b) et *'adam* «l'homme» (v. 13b), *maṣor* «la citadelle» (v. 11a) et *miṣṣar* «de l'oppression» (v. 13a). Dans 10c, le verbe *hitro'a'y* peut être compris de deux façons ; cette forme peut dériver de *rw'* «crier» (d'où dérive aussi *teru'ah*, cri de guerre devenu acclamation liturgique)[31], ou bien de *r''*, verbe araméen correspondant à l'hébreu *rṣṣ* «briser». C'est ainsi que la *TOB* superpose ces deux sens quand elle traduit : «Contre moi, Philistie, brise-toi en criant». Dans la recension du Ps. 108 : 10, l'équivoque a disparu, car le verbe est à la première personne, «je pousse un cri contre la Philistie» ; cependant, la Septante a lu ici la même forme verbale que dans Ps. 60 : 10.

Le verbe araméen *r''* «briser» suscite encore une équivoque dans le Ps. 2 : 9. Au lieu du texte reçu, «tu les briseras avec un sceptre de fer», la Septante a compris «tu les paîtras avec un sceptre de fer» d'après le verbe *r'h* «paître». Le psaume de Salomon 17 : 24 appuie la leçon massorétique. L'auteur du Ps. 2 a pu vouloir cette équivoque, car il ajoute au v. 10 : «Et maintenant, rois, *comprenez*», comme s'il leur disait de bien entendre l'oracle qui précède. L'auteur de l'Apocalypse qui cite le texte grec du psaume 2 (Apoc. 2 : 27 et 12 : 5) semble le comprendre dans le sens de l'hébreu, car il parle dans 19 : 15 de l'extermination des peuples païens[32]. Notons aussi le jeu de mot dans Prov. 18 : 24 entre le verbe *r''* «briser» et *re'im* «camarades, amis» : «Qui a beaucoup d'amis en sera écartelé».

Un double sens est aussi possible dans le Ps. 59 : 16, où *ylynw* peut se traduire «ils passent la nuit» (Syriaque, Symmaque, Targum) ou bien «ils geignent» (Septante, Aquila, Hier), selon que cette forme verbale provient de *lyn* «passer la nuit» ou de *lwn* «geindre». Dans le Ps. 49 : 13 et 21, il y a aussi un jeu de mot entre les verbes *ylyn* «il passe la nuit» et *ybyn* «il comprend».

Dans le Ps. 126 : 1b, *keholmîm* «comme ceux qui rêvent» peut aussi être compris «comme ceux qui sont guéris, fortifiés» avec le Targum[33]. Le verbe *ḥlm* peut avoir les deux sens.

On pourrait facilement multiplier ces exemples. Beaucoup de racines hébraïques ont une sémantique complexe ; beaucoup se ressemblent et permettent de multiples paronomases[34]. Si l'Ancien Testament abonde en expressions à sens multiples, il n'est pas étonnant qu'il en soit ainsi dans le Cantique des Cantiques. N'oublions pas que tout langage poétique implique une certaine polysémie[35]. Et quand c'est Dieu qui parle aux hommes à travers les textes bibliques inspirés par lui, n'a-t-il pas à nous dire tant de choses que les mots sont impuissants à exprimer, tant est profond et ineffable le mystère de l'Amour divin !

NOTES

1. *Vom Sinne des Hohen Liedes, Biblische Beiträge* (H. XIV), Freiburg, 1953 (=*Divus Thomas* 31, 1953, pp. 257-280); *Het Hooglied* (De Boeken van het Oude Testament, Deel VIII/Boek III), 1962.

2. *Cantico dei Cantici* (La Sacra Bibbia), Turin, 1967. L. KRINETZKI (*Das Hohelied*, 1964) avait aussi adopté ce point de vue; mais il s'est ensuite rétracté pour ne plus voir dans le Cantique qu'un recueil de chants d'amour; « *Retractationes*» *zu früheren Arbeit über das Hohe Lied*, *Bib* 52 (1971), pp. 176-189; *Die erotische Psychologie des Hohen Liedes*, *Theol. Quart.* 150 (1970), pp. 404-416. – P. MÜLLER parle d'ambivalence (*Die lyrische Reproduktion des Mythischen im Hohenlied*, ZTK 73 (1976), p. 40).

3. *Structure du Cantique des Cantiques*, EThL 41 (1965), p. 142, note 53.

4. *Le sens du Cantique des Cantiques*, RB 71 (1964), p. 55.

5. P. GRELOT, *RB* 73 (1966), pp. 129-130 (recension de G. GERLEMANN, *Ruth – Das Hohelied*).

6. Cf. J. CARMIGNAC, *Les affinités qumrâniennes de la onzième ode de Salomon*, RdQ 3 (1961), p. 85, note 44; H. LEWY, *Methè nèfalios. Untersuchungen zur Geschichte der Antiken Mystik*, Giessen, 1929; H. PREISKER, art. *Methè* dans *ThWNT*, IV, 552; M. TESTUZ, *Papyrus Bodmer*, X-XII, 1959, pp. 63-77.

7. Ainsi G. RICCIOTTI, *Il Cantico dei Cantici*, 1928, pp. 123-135; cf. A. FEUILLET, *RB* 68 (1961), p. 22, note 44; R. TOURNAY, *RB* 86 (1979), p. 139. Voir *Encyclopédie de l'Islam*, II (1965), art. *Ghazal*, p. 1058; IV (1978), art. *Khamriyya*, pp. 1038-1039. Et déjà ROBERT-TOURNAY, p. 413 ss. P. GRELOT a rappelé comment les lettrés chinois de l'époque féodale ont interprété les chansons paysannes du « Livre des Vers» (Che King) dans un sens moral, en y rattachant les préceptes confucéens (*Le couple humain dans l'Écriture*, 1962, p. 67; M. GRANET, *Fêtes et chansons anciennes de la Chine*, Paris, 1919).

8. Ainsi A.-M. Dubarle, J. Winandy, J.-P. Audet, etc. Voir R. MURPHY, *Un modèle biblique d'intimité humaine, le Cantique des Cantiques*, *Concilium 141* (1979), pp. 93-99; O. LORETZ, *Zum Problem des Eros in Hohenlied*, BZ 8 (1964), pp. 191-216.

9. Cf. P. BEAUCHAMP, *Épouser la Sagesse ou n'épouser qu'elle ? Une énigme du livre de la Sagesse*, dans *La Sagesse de l'Ancien Testament* (*Bibl. EThL*, 51) édité par M. Gilbert, 1979, pp. 347-369; P. BONNARD, *De la Sagesse personnifiée dans l'A. T. à la Sagesse en personne dans le Nouveau, ibid.*, pp. 117-149.

10. Ce poème rappelle Ben Sira 6 : 18-37 et 24 : 1-34. Voir le texte de Qumrân dans J. A. SANDERS, *The Psalm Scroll of Qumran Cave 11*, 11Q Ps^a, 1965; aussi dans T. MURAOKA, *Sir. 51 : 13-30 : An Erotic Hymn to Wisdom ? Journal for the Study of Judaism in the Persian, Hellenistic and Roman Period*, 10 (1979), pp. 166-178 (avec le texte hébreu du ms. du Caire et la version de la Septante). *TOB* donne la traduction du texte grec de la Septante, pp. 2213-2215. Voir M. DELCOR, *Le texte hébreu du cantique du Siracide LI, 13 et ss et les anciennes versions*, Textus 6 (1968), pp. 27-47; J.A. SANDERS, *The Sirach 51 Acrostic. Hommages à A. Dupont-Sommer*, 1971, pp. 429-438; POPE, pp. 110-111. Plusieurs auteurs ont conclu à la possibilité d'un sens érotique : A. DI LELLA, *Review of J. A. Sanders, The Psalm Scroll of Qumran Cave 11*, CBQ 28 (1966), pp. 92-95; I. RABINOWITZ, *The Qumran Hebrew Original of Ben Sira's Concluding Acrostic on Wisdom*, HUCA 64 (1971), pp. 173-184; P.W. SKEHAN, *The Acrostic Poem in Sirach 51 : 13-30*, HThR 64 (1971), pp. 387-400. Voir aussi Th. MIDDENDORP, *Die Stellung Jesu Ben Sira zwischen Judentum und Hellenismus*, Leiden, 1973, pp. 118-124.

11. Au lieu de *hwdw* «son honneur», Sanders lit *hwdy* «ma virilité» et rapproche Prov. 5 : 9. Mais il s'agit ici de donner son honneur aux autres, et non à une étrangère.

12. *ṭrty* serait pour *ṭrdty* (Sanders, Baumgartner, Muraoka) ; une dérivation de *ṭrh* « être frais » ne donne pas de sens satisfaisant (« rafraîchir » ?).

13. Le texte de Qumrân est ici complété par celui du ms. du Caire et le grec.

14. Cf. Is. 16 : 11 ; Jér. 31 : 20 ; 48 : 36. D. WINTON THOMAS (JThS NS. 20, 1965, pp. 225 s.) propose de lire *kinnor* au lieu de *tannur* d'après Is. 16 : 11 ; cf. T. MURAOKA, *art. cit.*, p. 173.

15. *Wisdom as a Hermeneutical Construct, BZAW* 151, 1980, pp. 33 et 53-54. Dans une incantation d'amour rédigée en akkadien se trouvent aussi les thèmes de la descente au jardin, des parfums des lèvres ou des épaules (cf. J. and A. WESTENHOLZ, *Help for Rejected Suitors, The Old Akkadian Love Incantation MAD V 8, Or* 46 (1977), p. 217).

16. *Bemerkungen zum Brautlied der Thomasakten, ASTI* 9 (1973), pp. 14-22. Notons que, dans un texte lacuneux de la grotte 4 de Qumrân, la secte rivale des Esséniens est présentée sous les traits d'une prostituée (cf. J. CARMIGNAC, *Poème allégorique sur la secte rivale, RdQ* 5 (1965), pp. 361-374 ; A.M. GAZOV-GINZBERG, *Double-Meaning in a Qumran Work (« The Wiles of the Wicked Woman »), ibid.*, 6 (1976-78), pp. 279-285).

17. Cf. *Sanh.* 34a. Voir J. BONSIRVEN, *Exégèse rabbinique et exégèse paulinienne*, 1939, pp. 36 et 155 ; Isaak HEINEMANN, *Altjüdische Allegoristik*, Berichte des jüdisch-theologischen Seminar für das Jahr 1935, Breslau ; E. LOEWE, *Midrashim and Patristic Exegesis of the Bible*, dans *Studia Patristica*, I, 1957, p. 508 ss. Déjà à Qumrân, le *midrash pesher* pratique cette exégèse (cf. E. SLOMOVIC, *Toward an Understanding of the Exegesis in the Dead Sea Scrolls, RdQ* 25 (1969), pp. 3-15). Chaque verset biblique aurait 70 sens selon une tradition rabbinique...

18. H.W. WOLFF (*Hosea, BKAT*, XIV, 1, 3e éd., 1976, p. 258) rejette le jeu de mots proposé par G.R. Driver (cf. *HAL*, 1967, 18a) pour *'ahaba* « amour » / « cuir » (arabe *'ihab*) dans Os. 11 : 4, et ultérieurement dans Cant. 3 : 10. D. GROSSBERG y voit un mot à double sens (*Canticles 3 : 10 in the Light of a Homeric Analogue and Biblical Poetics, Bibl. Theol. Bull.* 11 (1981), pp. 74-76.)

19. Cf. P. BONNARD, *art. cit.*, p. 38, note 145 ; Alan Mitchell COOPER, *Biblical Poetics : A Linguistic Approach*, Yale, 1976, p. 135. *'amman* signifie l'artisan dans Cant. 7 : 2 et Jér. 52 : 15. On a vu dans ce passage une démythisation de la déesse égyptienne Maât ou même du dieu Amôn (cf. Jér. 46 : 25 ; Nah. 3 : 8).

20. Cf. C.F. WHITLEY, *Koheleth, His Language and Thought (BZAW* 148), 1979, pp. 31-32 ; A. LAUHA, *Kohelet (BKAT* XIX), 1979, pp. 68-69 ; E. PODECHARD, *L'Ecclésiaste* (Études Bibliques), 1912, pp. 292-295.

21. Cf. A. LAUHA, *op. cit.*, pp. 207 et 211-213 ; C.F. WHITLEY, *op. cit.*, pp. 96-101.

22. K. FULLERTON, *Double Entendre in the First Speech of Eliphaz, JBL* 49 (1930), pp. 230-274 ; Y. HOFFMAN, *The Use of Equivocal Words in the First Speech of Eliphaz (Job IV-V), VT* 30 (1980), pp. 114-119.

23. Cf. Y. ROTH, *The Intentional Double-Meaning Talk in Biblical Prose, Tarbiz* 41 (1972), p. I (résumé en anglais).

24. Cf. Robert P. CARROLL, *When Prophecy Failed*, 1970, p. 172 ; D.L. PETERSEN, *Late Israelite Prophecy (SBL* 23), 1977, p. 63 ; F. MICHAELI, *Les livres des Chroniques, d'Esdras et de Néhémie* (Commentaire de l'A. T., XVI), 1967, p. 90, n. 6.

25. Cf. W. McKANE, *MŠ' in Jeremias 23, 33-40*, dans *Prophecy. Essays Presented to G. Fohrer*, 1980, pp. 35-54.

26. Cf. B. RENAUD, *La formation du livre de Michée* (Études Bibliques), 1977, p. 247.

27. Cf. *TOB*, p. 862, note 1 : 2 Chron. 6 : 42. P. BORDREUIL, après A. CAQUOT et beaucoup d'autres, examine ce texte dans *VT* 31 (1981), pp. 73-75 et en rapproche Néh. 13 : 14. Les chapitres d'Is. 56-66 contiennent beaucoup de jeux de mots (*TOB*, p. 870, note *b*, cite 57 : 6 ; 58 : 10 ; 59 : 18 ; 63 : 3, 4, 6 ; 65 :5, 11 ; 66 : 20). Cf. D.F. PAYNE, *Characteristic Word Play in « Second Isaiah ». A Reappraisal, JSS* 12 (1967), pp. 207-229.

28. Cf. W.L. HOLLADAY, *The Root šubh in the Old Testament With particular Reference to its usages in covenantal contexts*, Leiden, 1958 ; J. GRAY, *The Biblical Doctrine of the*

Reign, Edinburgh, 1979, pp. 110-116. Noter par exemple le Ps. 80 : 4, 8, 15, 20, et le Ps. 85 : 2, 4, 5, 7, 9.

29. Aquila et le Targum ont opté pour ce dernier sens (cf. Prov. 22 : 21).

30. C'est aussi le sens de l'akkadien *nasasu*.

31. Cf. P. HUMBERT, *La Terou'a*, Neuchâtel, 1946 ; H.P. MÜLLER, *Die kultische Darstellung der Theophanie, VT* 14 (1964), pp. 184-188.

32. Cf. M.-E. BOISMARD, *L'Apocalypse (BdJ)*, 1972, 4e éd., p. 34, note *e* ; G. WILHELM, *Der Hirt mit der eisernen Szepter, Überlegungen zu Psalm II 9, VT* 27 (1977), pp. 196-204.

33. Cf. J. STRUGNELL, *JTS* 7 (1956), pp. 239-243, cité par M. MANNATI dans *Semitica* 29 (1979), p. 95.

34. Exemples de paronomases : 2 Sam. 1 : 20 ; 3 : 33-34 ; Mic. 1, 10 ss ; Is. 5 : 7 ; Lam. 1 : 16 ; Ps. 5 : 10 ; 25 : 16 ; 40 : 18 ; 56 : 9 ; 60 : 5-6 ; 69 : 30 ; 70 : 6 ; 74 : 19 ; 80 : 10 ; 86 : 1 ; 88 : 10, 16. Sur les paronomases dans l'A. T., voir Immanuel M. CASANOWICZ, *Paronomasia in the Old Testament*, 1892 ; G.R. DRIVER, *Problems and Solutions, VT* 4 (1954), pp. 240-245 ; M. DAHOOD, *Psalms II, 51-100*, 1968, pp. 78, 258 ; W.L. HOLLADAY, *Form and Word-Play in David's Lament over Saul and Jonathan, VT* 20 (1970), pp. 153-189 ; M. FISHBANE, *Jeremiah IV, 23-26 and Job III, 3-13, VT* 21 (1971), pp. 161-162 ; S. GEVIRTZ, *Of Patriarchs and Puns : Joseph at the Fountain, Jacob at the Ford, HUCA* 46 (1975), pp. 33-54.

35. F. LANDY a insisté sur les ambiguïtés et le caractère symbolique du Cantique des Cantiques dans son étude, *Beauty and the Enigma : An Inquiry into Some Interrelated Episodes of the Song of Songs, JSOT* 17 (1980), pp. 55-106. Sur la polysémie en général, voir P. RICOEUR, *La métaphore vive*, Paris, 1973 ; S. WITTIG, *A Theory of Multiple Meanings, Semeia* 9 (1977), pp. 77-102 ; Zahar SHAVIT, *The Ambivalence Status of Texts*, The Case of Children's Literature Poetics Today Special Issue Narratology : I : Poetic of Fiction, I, 3, Spring 1980, Tel Aviv University, pp. 75-86. Sur la pluri-isotopie ou superposition dans un même discours d'isotopes différents, cf. A.J. GREIMAS et J. COURTÈS, *Sémiotique, Dictionnaire raisonné de la théorie du langage*, 1979, p. 198. Signalons aussi Walter H. HERTZBERG, *Polysemy in Biblical Hebrew* (Ph.D. Dissertation), NYU 1979 (non publié). Sur la polyvalence des sens, cf. R. LAPOINTE, *Les trois dimensions de l'herméneutique* (Cahiers de la RB, 8), Paris, 1967, p. 33.

CONCLUSION

Comme l'écrivait A. Robert, « il n'est pas de livre biblique qui ait exercé sur l'âme chrétienne un effet de séduction comparable à celui du *Cantique des Cantiques*. Il n'en est pas non plus qui ait défié, autant que ce court poème, les efforts des interprètes »[1]. J'ai essayé de relever ici le défi sans prétendre assurément résoudre tous les problèmes soulevés par cet écrit déconcertant. J'ai tenté de le replonger dans ses sources historiques et de rechercher toutes ses attaches avec le reste de la Bible et surtout l'ancienne Égypte. J'ai voulu souligner et rendre manifeste la tendance du (ou des) poète(s) aux allusions et au *double entendre* à partir de la foule des images et des symboles accumulés dans le Cantique. Sans rien sacrifier du texte hébreu reçu, sans rien modifier dans sa structure consonantique, j'ai proposé de nouvelles interprétations aboutissant à découvrir ici un poème d'amour orienté en définitive vers ce qui fut l'espoir suprême et invincible du peuple élu au temps du Second Temple : l'avènement du Messie, à la fois nouveau David et nouveau Salomon, si anxieusement attendu par la Fille de Sion.

Mais il faut maintenir fermement à la base du Cantique, en tant que son fondement radical, essentiel, la passion amoureuse qui rapproche l'homme et la femme dans une soif réciproque inépuisable et jamais assouvie. L'amour nuptial avec l'épanouissement du cœur et des sens, en leur totalité, demeure ainsi le symbole le plus expressif de l'amour réciproque d'Israël et du Messie, et dans la perspective de la Nouvelle Alliance, du Christ et de l'Église. Là comme ailleurs dans l'économie du Salut, la grâce ne supprime pas la nature, mais la surélève et la transfigure, la divinise même.

C'est ainsi qu'il faut renoncer à opposer érotisme à allégorie, sens naturel à sens mystique, etc. Il s'agit ici de l'éternelle réalité, divine et humaine, de l'Amour. A l'origine Dieu créa l'Homme à son image, dans l'unité du couple : « Le jour où Dieu créa Adam, il le fit à la ressemblance de Dieu : homme et femme il les créa, il les bénit et leur donna le nom d'«Homme» le jour où ils furent créés» (Gen. 5 : 1-2 ; cf. 1 : 26). Faut-il rappeler que le *premier* poème de la Bible est un chant d'amour : «Pour le coup, s'écrie Adam à la vue d'Ève, c'est l'os de mes os et la chair de ma chair» (Gen. 2 : 23). La suite du texte hébreu exploite habilement le jeu de mots intraduisible entre iš «homme» et iššah «femme» : «Celle-ci sera appelée Femme, car elle fut tirée de l'homme, celle-là». Ce jeu de mots n'est pas sans rappeler celui du nom de Salomon avec le nom de la Shulamite. C'est à partir de tels rapprochements verbaux, si mnémotechniques, que les hagiographes s'efforçaient d'exprimer l'ineffable unité du couple humain, signe et symbole de réalités spirituelles. Le dialogue lyrique entre les deux amants débouche ainsi sur le mystérieux dialogue engagé par YHWH avec son peuple, et d'abord avec Abraham, son ami[2].

C'est une expérience de ce genre qu'a dû vivre l'auteur du livret définitif du Cantique des Cantiques, en véritable fils d'Abraham. Il s'est en effet trahi dans son œuvre littéraire, et il est permis d'esquisser grâce à elle son portrait spirituel. Doué d'une vive sensibilité et d'une forte imagination, grand admirateur de la beauté de la nature et surtout de la créature humaine, il a expérimenté en sa propre existence ce qu'est un amour intense et profond. Parfait connaisseur des Écritures inspirées et aussi des littératures des peuples voisins, esprit ouvert et tolérant, il a mis tout son talent au service de ses frères juifs à une époque de relative tranquillité, sans doute durant le quatrième siècle avant J.-C. Comme ses coreligionnaires, il était avant tout impatient de voir enfin se réaliser les promesses de l'Alliance et de l'avènement du nouveau David, du nouveau Salomon, le Messie attendu par le peuple d'Israël. Il éprouvait profondément la nostalgie du retour au Paradis[3].

Mais — et il faut ici le souligner —, dans les oracles d'Osée, de Jérémie, d'Ezéchiel, du livre d'Isaïe, il s'agissait des relations d'amour entre Dieu et son peuple, entre YHWH et Israël. Dans le Cantique des Cantiques, nous avons essayé de montrer qu'un pas de plus a été franchi : il s'agit désormais des relations d'amour entre le Messie et la Fille de Sion, la nouvelle Jérusalem dont parlera plus tard l'Apocalypse (19 : 7 ; 21 : 2 ss)[4]. Or, dans la Nouvelle Alliance, c'est Jésus qui est constitué l'Époux de l'Église des rachetés, juifs et païens. Jean-Baptiste se déclare l'ami de l'Époux (Jean 3 : 29), c'est-à-dire le garçon d'honneur chargé de veiller au bon déroulement des cérémonies et spécialement de s'assurer que la fiancée a effectué les purifications rituelles prescrites par la Loi[5]. Les disciples de Jésus sont aussi appelés les amis de l'Époux (Mat. 9 : 15 ; Marc 2 : 19 ; Luc 5 : 34). Dans la parabole du festin nuptial (Mat. 22 : 1 ss), le fils du Roi est le Messie. Dans celle des dix vierges (Mat. 25 : 1 ss), l'Époux est le Christ. Saint Paul évoque plusieurs fois l'image des noces entre Jésus et son Église : « Je vous ai fiancés à un époux unique, comme une vierge pure à présenter au Christ » (2 Cor. 11 : 2). « Maris, aimez vos femmes comme le Christ a aimé l'Église : il s'est livré pour elle, afin de la sanctifier en la purifiant par le bain d'eau qu'une parole accompagne ; car il voulait se la présenter à lui-même toute resplendissante, sans tache ni ride ni rien de tel, mais sainte et immaculée » (Eph. 5 : 25-27). L'amour humain doit être le signe de l'Amour de Dieu pour les hommes.

C'est seulement sous l'éclairage du Nouveau Testament que le Cantique des Cantiques a pris la plénitude de son sens. Comme l'a écrit P. Grelot[6] : « L'expérience de l'amour humain, comprise et vécue suivant les normes de la révélation biblique, se transfigurait déjà en fonction de son archétype surnaturel, bien que la révélation complète de ce dernier ne dût être donnée que dans l'avenir, au jour où l'alliance nouvelle s'actualiserait dans un fait d'histoire, où les épousailles de Dieu et de l'humanité s'effectueraient dans l'incarnation du Verbe ».

La tradition chrétienne, patristique et médiévale, ne s'est donc pas trompée, malgré tout, en développant à propos du Cantique des Cantiques le thème des noces du Christ et de son Église[7]. Sous de multiples symboles dans le langage de la poésie orientale, le Cantique nous redit à sa manière que Dieu nous aime d'un amour éternel (cf. Jér. 31 : 3).

Dans son discours aux jeunes, le premier juin 1980, le Pape Jean-Paul II leur déclarait : « Toute l'histoire de l'humanité est l'histoire du besoin d'aimer et d'être aimé ». Dans le Cantique, c'est Dieu qui nous raconte lui-même cette histoire ; il nous la redit encore aujourd'hui, et demain, et à jamais. Sachons l'écouter, sachons deviner au-delà des mots, des images, des symboles, la confidence suprême faite aux hommes et aux femmes de tous les temps par Celui qui est Amour (1 Jean 4 : 8, 16)... « L'Esprit et l'Épouse disent : « Viens ! » (Apoc. 22 : 17).

NOTES

1. ROBERT-TOURNAY, p. 333. C'est déjà l'opinion de S. Augustin : *illa cantica aenigmata sunt* (Sermon 46 : 35. *Corpus Christianorum. Series Latina* 41, 1961, p. 560).

2. Cf. Is. 41 : 8 ; 2 Chron. 20 : 7 ; Dan. 3 : 35 ; Jacques 2 : 23. Dans le Coran, Sourate 4, 124, Abraham est appelé al-Khalil, c'est-à-dire l'Ami (de Dieu) ; ce nom est devenu celui de la ville d'Hébron où sont enterrés les Patriarches.

3. Cf. F. LANDY, *The Song of Songs and the Garden of Eden, JBL* 98 (1979), pp. 513-518.

4. Cf. A. FEUILLET, *Le Cantique des Cantiques et l'Apocalypse*, dans *RSR* 49 (1961), pp. 321-353.

5. Cf. M.-E. BOISMARD et A. LAMOUILLE, *Synopse des quatre évangiles en français*, tome III, *L'Évangile de Jean*, Paris, Le Cerf, 1977, p. 127.

6. P. GRELOT, *Le couple humain dans l'Écriture* (Lectio Divina, 31), 1962, p. 71.

7. ROBERT-TOURNAY, p. 26. Par contre, le Targum et les Midrashim ainsi que les commentaires rabbiniques ne font qu'une place très réduite au Messie. L'interprétation allégorique, dans le judaïsme, concerne surtout la Torah et l'histoire d'Israël ; cf. R. LOEWE, *Apologetic Motifs in the Targum to the Song of Songs*, dans *Biblical Motifs : Origins and Transformations*, éd. A. Altmann, Philip W. Lown Institute of Advanced Judaic Studies, Brandeis University, *Studies and Texts*, III, pp. 159-196 ; POPE, pp. 93 ss ; *Shir haShirim, Song of Songs, An Allegorical Translation Based upon Rashi with a Commentary Anthologized from Talmudic, Midrashic and Rabbinic Sources*, Commentary compiled by Rabbi Meir Zlotowitz. Allegorical Translation, and Overview by Rabbi Nasson Scherman. Published by Mesorah Publications, New York, 1977 (Art Scroll Tanach Series). Commentateurs chrétiens et juifs se sont affrontés dès le IIIe siècle à propos de l'interprétation du Cantique des Cantiques ; cf. E.E. URBACH, *The Homiletical Interpretation of the Sages and the Expositions of Origen on Canticles, and the Jewish-Christian Disputation*, dans *Scripta Hierosolymitana* 22 (1971), pp. 247-275 (traduit de l'hébreu, *Tarbiz* 30 (1961), pp. 148-170). Sur le Targum du Cantique, voir E.Z. MELAMED dans *Tarbiz* 40 (1971), pp. VI-VII (résumé en anglais).

INDEX I

MOTS HÉBREUX

INDEX II

TEXTES CITÉS

II. – QUMRÂN

III. – AUTRES TEXTES

INDEX III

ANALYTIQUE

BIBLIOGRAPHIE

On voudra bien se reporter à la grande bibliographie publiée par M.H. POPE dans son livre, *Song of Songs* (The Anchor Bible 70), Doubleday, Garden City, New York, 1977, pp. 233-288.

Voir aussi les bibliographies publiées dans ROBERT-TOURNAY, *Le Cantique des Cantiques* (Études Bibliques), Paris, Gabalda, 1963 ; R. TOURNAY et M. NICOLAŸ, *Le Cantique des Cantiques. Commentaire abrégé*, Paris, Le Cerf, 1967, pp. 183-185 ; D. LYS, *Le plus beau chant de la création* (Lection divina 51), Paris, Le Cerf, 1968, pp. 56-60.

On trouvera facilement dans les notes qui accompagnent le texte du présent ouvrage les références aux travaux publiés depuis 1977. Parmis les travaux parus depuis 1980, signalons :

— F. LANDY, *Beauty and the Enigma : An Inquiry into Some interrelated Episodes of the Song of Songs, Journal for the Study of the Old Testament* 17 (1980), pp. 55-106 (Analyse de l'imagerie sensorielle, visuelle, olfactive, tactile, etc.).

— R.E. MURPHY, O. Carm., *Patristic and Medieval Exegesis — Help or Hindrance ?, CBQ* 43 (1981), pp. 505-516.

— Lyle ESLINGER, *The Case of an Immodest Lady Wrestler in Deuteronomy XXV 11-12, VT* 31 (1981), pp. 275-276 (Cant. 5 : 5 aurait un double sens érotique).

— E.C. WEBSTER, *Patterns in the Song of Songs, JSOT* 22 (1982), pp. 73-93 (structure générale en chiasme).

— Marcia FALK, *Love Lyrics from the Bible : A Translation and Literary Study of the Song of Songs*, Sheffield, The Almond Press, 1982 (Interprétation érotique des 31 poèmes qui composeraient le Cantique des Cantiques).

TABLE DES MATIÈRES

Imprimé en France pour les Editions Gabalda, par l'Imprimerie de Nemours
3, rue des Pliants, 77140 - Nemours. Tél. : 428.01.01 - 428.11.49

Dépôt légal effectué : Décembre 1982.
N° de l'Imprimeur : 1219.